GÖPPINGER ARBEITEN ZUR GERMANISTIK
herausgegeben von
Ulrich Müller, Franz Hundsnurscher und Cornelius Sommer

Nr. 152

Grundkurs Historische Linguistik

Materialien zur Einführung in die germanisch-deutsche Sprachgeschichte

von
Jürgen Kühnel

Verlag Alfred Kümmerle - Göppingen 1975

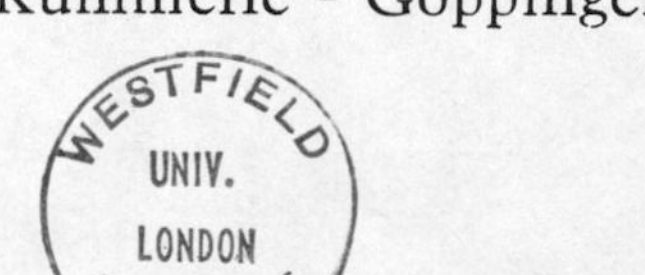

Verlag Alfred Kümmerle, Göppingen
Druck: FOTODRUCK PRÄZIS B. v. Spangenberg KG · Tübingen
ISBN 3–87452–274–1

I N H A L T S V E R Z E I C H N I S

V O R B E M E R K U N G E N

Die nachstehend veröffentlichten 'Materialien' bildeten die Arbeitsgrundlage zweier Proseminare, die ich unter dem Titel "Einführung in die germanisch-deutsche Sprachgeschichte" im Wintersemester 1973/74 und im Sommersemester 1974 an der Universität Stuttgart gehalten habe. Es handelt sich um eine Materialsammlung, anhand deren im akademischen Unterricht einzelne Aspekte und Probleme der germanisch-deutschen Sprachgeschichte erarbeitet werden können, nicht etwa um den Versuch einer Gesamtdarstellung dieses Gegenstandes. Ihre Veröffentlichung bezweckt insofern nicht mehr, als Lehrenden wie Studierenden der Germanistik ein didaktisches Hilfsmittel zur Verfügung zu stellen, das die Einarbeitung in die historische Linguistik des Deutschen erleichtern kann, das aber gleichwohl ausführlicher Erläuterungen bedarf (und somit etwa kaum für ein Selbststudium geeignet sein dürfte).

Zur Anlage der Materialsammlung, für die die Konzeption meiner Proseminare maßgebend war, ist folgendes zu bemerken:

(1) 'Einführung in die germanisch-deutsche Sprachgeschichte' wird hier nicht, wie im Rahmen der deutschen Hochschulgermanistik auch heute noch vorwiegend, als Propädeutikum der mediaevistischen Literaturwissenschaft verstanden. Die vorgelegten Materialien sind durchaus nicht dazu geeignet, in die Sprache der alt- und mittelhochdeutschen Literatur einzuführen; der Gegenstand, auf den sie sich beziehen, ist vielmehr linguistischer Natur und wird definiert als die deutsche Sprache in ihrer Geschichtlichkeit.

(2) Sprachgeschichte beschränkt sich dabei nicht ausschließlich auf den 'formalen' Aspekt der Sprache - auf historische Phonologie, Morphonologie, Morphologie -, wie dies seit dem 19. Jahrhundert bei den führenden 'linguistischen Schulen' der Fall war, bei den Junggrammatikern (einschließlich ihrer Vorläufer seit Franz BOPP) ebenso wie bei den Vertretern des 'klassischen' Strukturalismus, die in dieser Hinsicht den Ansatz der Junggrammatiker, ihr positivistisches Bemühen um naturwissenschaftliche Exaktheit nur zu konsequent fortsetzen. Sprachgeschichte wird hier vielmehr in einem umfassenden Sinne als integrierter Teil einer allgemeinen Kultur- und Gesellschaftsgeschichte aufgefaßt, ganz im Sinne Jacob GRIMMs und des mit ihm untrennbar verknüpften "synthetisch-universalen Beginns unserer neueren Sprachwissenschaft" (HELBIG).

Dieser Konzeption entspricht die zweiteilige Anlage der Materialsammlung. In T e i l I , als "A l l g e m e i n e r T e i l" bezeichnet, geht es um eben diesen umfassenden kultur- und sozialgeschichtlichen Aspekt der Sprachgeschichte.

Den einen Schwerpunkt bilden die Grundprobleme der Sprachverwandtschaft und der Ausgliederung der indogermanischen bzw. germanischen Einzelsprachen aus einer (hypothetischen) relativen Einheitlichkeit, der Gliederung des indogermanischen bzw. germanischen Sprachverbandes und der Epocheneinteilung der deutschen Sprachgeschichte. Dabei wird, allen möglichen Einwänden (TRUBETZKOY!) entgegen, der Standpunkt Hans KRAHEs vertreten, daß die "Geschichte und Entwicklung von Sprachen" nicht losgelöst von der Geschichte der 'sie sprechenden Menschen und Völker' betrachtet werden können. Wenn einzelne Tabellen auf den ersten Blick nur schwer überschaubar sind (so die Tabelle S. 11, die einen Überblick über die Entwicklung von den Stammesmundarten der Frühzeit bis hin zu den modernen germanischen Nationalsprachen im Zusammenhang der Stammesgeschichte und Nationalgeschichte geben will, und die Tabelle S. 13/14, die die Heterogenität der Kriterien für eine Epocheneinteilung der deutschen Sprachgeschichte offenlegen soll), so spiegelt dies die Komplexität des Gegenstandes.

Den zweiten Schwerpunkt bildet die Wortgeschichte. Hier können am Beispiel verschiedener Schichten lateinischer Lehnwörter und des höfischen Wortschatzes französischer Provenienz im Mittelhochdeutschen die Wechselbeziehungen zwischen Sprachgeschichte und sozialer/kultureller Entwicklung exemplarisch herausgearbeitet werden.

Ein Exkurs zur Geschichte der Schrift rundet den I. Teil der Materialsammlung ab.

(3) T e i l I I stellt demgegenüber Materialien zu 'A u s g e w ä h l t e n K a p i t e l n a u s d e r h i s t o r i s c h e n G r a m m a t i k d e s D e u t s c h e n' zusammen. Der Schwerpunkt liegt auf der historischen Phonologie. Die beiden Kapitel 'Historische Phonologie (1): Vokalismus' und 'Historische Phonologie (2): Konsonantismus' sind nach demselben Schema gebaut: den Ausgangspunkt bildet das indogermanische ('vorgermanische') Vokal- bzw. Konsonantensystem, Endpunkt das Vokal- bzw. Konsonantensystem der neuhochdeutschen Standardsprache. Die Darstellung versucht, Grundlinien herauszuarbeiten, ist also keineswegs vollständig. Besonderes Gewicht wird dabei auf diejenigen historisch-phonologischen Prozesse gelegt, die in der Morphonologie des Neuhochdeutschen nachwirken. Insofern sollen die Materialien zur historischen Phonologie auch die dialektische Einheit von Synchronie und Diachronie herausstellen, die der traditionelle Strukturalismus in der Nachfolge DE SAUSSUREs vernachlässigt hat. Bei der Darstellung der historischen Phonologie des Deutschen ist nach den Prinzipien des 'klassischen' Strukturalismus verfahren worden, wie sie in den anschließenden 'Erläuterungen' kurz dargelegt werden. Das folgende Kapitel über den Ablaut überschreitet den eng abgesteckten Rahmen der Abschnitte über Vokalismus und Konsonantismus; es versucht, die Komplexität seines Gegenstandes ganz zu entfalten, und soll damit exemplarisch für die (gegenüber älteren linguistischen Richtungen) gesteigerte Leistungsfähigkeit einer strukturalistischen Grundsätzen verpflichteten historischen Lautlehre stehen. Dieses Kapitel leitet, indem es bereits die Klassen des Starken Verbums miteinbezieht, zugleich über zu der kurzen, tabellarischen, Zusammenstellung der wichtigsten morphonologischen Erscheinungen der neuhochdeutschen Gegenwartssprache, jeweils unter Verweis auf die geschichtlichen Prozesse, die diesen Erscheinungen zugrundeliegen.

Diese Übersicht kann, nach meinen Erfahrungen, einem sprachgeschichtlichen Proseminar einen sinnvollen Abschluß geben. Ein Kapitel zur Morphologie des Verbums ist gleichwohl noch angefügt; steht bei der Disposition des Seminars die entsprechende Zeit zur Verfügung, so kann anhand dieses Kapitels noch, wie immer exemplarisch, ein Einblick in die historische Morphologie vermittelt werden, wobei auch hier morphonologische Erscheinungen beim germanischen Verbalsystem besonders herausgehoben sind.

Eine Bemerkung noch zur graphischen Gestaltung der Sammlung: viele Unzulänglichkeiten erklären sich aus dem Materialcharakter des hier Vorgelegten. Daß den Grundstock der Sammlung die hand-outs aus meinen Seminaren bilden, wird an keiner Stelle verleugnet.

Zum Schluß einige Worte des Dankes: Dank schulde ich Herrn Verleger KÜMMERLE, Göppingen, und den Herausgebern der Reihe 'Göppinger Arbeiten zur Germanistik', Herrn Professor Dr. Franz HUNDSNURSCHER, Münster, für sachkundige Ratschläge, und insbesondere Herrn Universitätsdozenten Dr. Ulrich MÜLLER, Stuttgart, der mir auch bei der endgültigen graphischen Gestaltung der Arbeitspapiere mit Rat und Tat beigestanden hat. Wenn das Bändchen doch noch in vielerlei Hinsicht ansehnlicher geworden ist, als es ursprünglich schien, so geht dies aber vor allem auch auf die Initiative von Herrn cand. phil. Hans-Dieter MÜCK, Stuttgart, zurück, dem ebenfalls mein ausdrücklicher Dank gilt. Die Erläuterungen zu den Kapiteln 'Historische Phonologie (1): Vokalismus' und 'Historische Phonologie (2): Konsonantismus' beruhen in wesentlichen Punkten auf der Stuttgarter Staatsexamensarbeit von Herrn cand. phil. Thomas ZEUZEM über "Neuere Theorien des Lautwandels" (Typoskript Stuttgart, 1974); Herrn ZEUZEM, dem ich vielfältige Anregungen verdanke, sei an dieser Stelle besonderer Dank gesagt. Für Anregungen mancher Art danke ich auch Herrn Professor Dr. Hans-Hugo STEINHOFF, Paderborn, und meinem Kollegen Herrn Peter HÖLZLE, Stuttgart, ebenso den Tutoren, die meine Proseminare hilfreich und kritisch begleitet haben: Peter BERG, Karen FORTNER, Wolfgang HÄRING, Ursula MÜLLER-VOIGT, Fritz OECHSLEN, Ulrich PETERMANN, Mechthild REH, Richard STOLLENMAIER, sowie Fräulein Brigitte STRÖHLE, Aberdeen, die Teile des Typoskripts mehrfach durchgesehen hat.

Stuttgart, den 11. März 1975

J. K.

L I T E R A T U R H I N W E I S E

Die durch * gekennzeichneten Titel sind zur ein- und weiterführenden Lektüre besonders geeignet.

1. A L L G E M E I N E S :

* (1) Die deutsche Sprache. Kleine Enzyklopädie. 2 Bde. Leipzig, 1969/7o.

2. Z U R G E S C H I C H T E D E R N E U E R E N S P R A C H W I S S E N S C H A F T :

* (2) MAAS, Utz: Grundkurs Sprachwissenschaft. Teil I: Die herrschende Lehre. München, 1973. [= List Taschenbücher der Wissenschaft, Bd 1424.]

* (3) HELBIG, Gerhard: Geschichte der neueren Sprachwissenschaft. Reinbek bei Hamburg, 1974. [= rororo studium, Bd 48.]

* (4) ARENS, Hans: Sprachwissenschaft. Der Gang ihrer Entwicklung von der Antike bis zur Gegenwart.
  Bd 1: Von der Antike bis zum Ausgang des 19. Jahrhunderts.
  Bd 2: Das 2o. Jahrhundert.
  Frankfurt a. M., 1974. [= Fischer Athenäum Taschenbücher, Bd 2o77/2o78.]

3. G E S C H I C H T E D E R D E U T S C H E N S P R A C H E : G E S A M T D A R S T E L L U N G E N :

* (5) Geschichte der deutschen Sprache. Mit Texten und Übersetzungshilfen. Verfaßt von einem Autorenkollektiv unter Leitung von Wilhelm SCHMIDT. 2. Auflage. Berlin (DDR), 197o.

* (6) von POLENZ, Peter: Geschichte der deutschen Sprache. 7., völlig neu bearbeitete Auflage der früheren Darstellung von Hans SPERBER. Berlin, 197o. [= Sammlung Göschen, Bd 915/915a.]

* (7) TSCHIRCH, Fritz: Geschichte der deutschen Sprache.
  Teil I : Die Entfaltung der deutschen Sprachgestalt in der Vor- und Frühzeit. 2. Auflage. Berlin, 197o.
  Teil II: Entwicklung und Wandlungen der deutschen Sprachgestalt vom Hochmittelalter bis zur Gegenwart. Berlin, 1969.
  [= Grundlagen der Germanistik, Bd 5 und 9.]

* (8) EGGERS, Hans: Deutsche Sprachgeschichte.
  Bd 1: Das Althochdeutsche.
  Bd 2: Das Mittelhochdeutsche.
  Bd 3: Das Frühneuhochdeutsche.
  Reinbek bei Hamburg, 1963-1969. [= rde, Bd 185/86, 191/92, 27o/71.]

(9) MOSER, Hugo: Annalen der deutschen Sprache von den Anfängen bis zur Gegenwart. 2. Auflage. Stuttgart, 1963. [= Sammlung Metzler, Bd 5.]

* (1o) FRINGS, Theodor: Grundlegung einer Geschichte der deutschen Sprache. 3. Auflage. Halle a. d. S., 1957.

(11) JUNGANDREAS, Wolfgang: Geschichte der deutschen und der englischen Sprache.
  Teil I : Vom Urgermanischen bis zum Beginn der literarischen Zeit.
  Teil II: Geschichte der deutschen Sprache.
  [Teil III:] Geschichte der englischen Sprache.
  Göttingen, 1946-1949.

(12) BACH, Adolf: Geschichte der deutschen Sprache. 8. Auflage. Heidelberg, 1965.

(13) BEHAGHEL, Otto: Geschichte der deutschen Sprache. 5. Auflage. Berlin und Leipzig, 1928. [= Grundriß der germanischen Philologie, 3. Auflage, Bd 3.]

(14) HIRT, Herman: Geschichte der deutschen Sprache. 2. Auflage. München, 1925. [= Handbuch des deutschen Unterrichts, Bd 4,I.]

4. E I N F Ü H R U N G E N I N D I E V E R G L E I C H E N D E S P R A C H W I S S E N S C H A F T D E R I N D O G E R M A N I S C H E N S P R A C H E N :

* (15) SZEMERÉNYI, Oswald: Einführung in die vergleichende Sprachwissenschaft. Darmstadt, 197o. [= Die Altertumswissenschaft.]

* (16) KRAHE, Hans: Einleitung in das vergleichende Sprachstudium. Hrsg. von Wolfgang MEID. Innsbruck, 197o. [= Innsbrucker Beiträge zur Sprachwissenschaft, Bd 1.]

* (17) KRAHE, Hans: Indogermanische Sprachwissenschaft.

  Bd 1: Einleitung und Lautlehre.
  Bd 2: Formenlehre.

  4. bzw. 3. Auflage. Berlin, 1959 und 1962. [= Sammlung Göschen, Bd 59 und 64.]

  Zur Ergänzung:

  LINDEMANN, Otto Frederik: Einführung in die Laryngaltheorie. Unter Mitwirkung von Karl Hj. BORGSTRØM. Berlin, 197o. [= Sammlung Göschen, Bd 1247/1247a.]

(18) SCHRIJNEN, Jos.: Einführung in das Studium der indogermanischen Sprachwissenschaft mit besonderer Berücksichtigung der klassischen und germanischen Sprachen. Bibliographie - Geschichtlicher Überblick - Allgemeine Prinzipien - Lautlehre. Übersetzt von Walther FISCHER. Heidelberg, 1921. [= Indogermanische Bibliothek. Erste Abteilung: Sammlung indogermanischer Lehr- und Handbücher. Reihe I: Grammatiken. Bd 14.]

(2o) BRUGMANN, Karl: Kurze vergleichende Grammatik der indogermanischen Sprachen. Straßburg, 19o4. Phototechnischer Nachdruck: Berlin, 197o.

Weitere Werke zur indogermanischen Sprach- und Altertumswissenschaft:

* (21) SCHLERATH, Bernfried: Die Indogermanen. Das Problem der Expansion eines Volkes im Lichte seiner sozialen Struktur. Innsbruck, 1973. [= Innsbrucker Beiträge zur Sprachwissenschaft. Vorträge, Bd 8.]

* (22) KRAHE, Hans: Sprache und Vorzeit. Europäische Vorgeschichte nach dem Zeugnis der Sprache. Heidelberg, 1954.

(23) SCHRADER, Otto: Die Indogermanen. 2. Auflage. Leipzig, 1916. [= Wissenschaft und Bildung, Bd 77.]

* (24) KRAHE, Hans: Grundzüge der vergleichenden Syntax der indogermanischen Sprachen. Hrsg. von Wolfgang MEID und Hans SCHMEJA. Innsbruck, 1972. [= Innsbrucker Beiträge zur Sprachwissenschaft, Bd 8.]

Einen Überblick über die Sprachen des modernen Europa vermitteln:

* (25) HAARMANN, Harald: Soziologie und Politik der Sprachen Europas. München, 1975. [= dtv. Wissenschaftliche Reihe, Bd 4161.]

(26) BASTIAN, Otto: Die europäischen Sprachen. Grunderscheinungen und Entwicklungen. Bern und München, 1964. [= Dalp Taschenbücher, Bd 377.]

5. EINFÜHRUNGEN IN DIE VERGLEICHENDE SPRACHWISSENSCHAFT DER GERMANISCHEN SPRACHEN:

(27) HUTTERER, Claus: Die germanischen Sprachen. Ihre Geschichte in Grundzügen. München, 1975.

* (28) SOWINSKI, Bernhard: Grundlagen des Studiums der Germanistik.

  Teil I: Sprachwissenschaft.

  Köln und Wien, 197o.

* (29) KRAHE, Hans: Germanische Sprachwissenschaft.

  Bd 1: Einleitung und Lautlehre. 7. Auflage, bearbeitet von Wolfgang MEID. Berlin, 1969.
  Bd 2: Formenlehre. 7. Auflage, bearbeitet von Wolfgang MEID. Berlin, 1969.
  Bd 3: Wortbildungslehre. Von Wolfgang MEID. Berlin, 1967.

  [= Sammlung Göschen, Bd 238, 78o, 1218/1218a/1218b.]

(3o) PROKOSCH, E.: A Comparative Germanic Grammar. Philadelphia, 193o. [= William Dwight Whitney Linguistic Series.]

(31) STREITBERG, Wilhelm: Urgermanische Grammatik. Einführung in das vergleichende Studium der altgermanischen Dialekte. 3. Auflage. Heidelberg, 1963. [= Germanische Bibliothek, Reihe I.]

(32) HIRT, Herman: Handbuch des Urgermanischen. 3 Bde. Heidelberg, 1931. [= Indogermanische Bibliothek. Erste Abteilung: Sammlung indogermanischer Lehr- und Handbücher. Reihe I: Grammatiken. Bd 21, I-III.]

6. HISTORISCHE GRAMMATIKEN EINZELNER GERMANISCHER MUNDARTEN; SPRACHSKIZZEN:

(33) BRAUNE, Wilhelm: Gotische Grammatik. Mit Lesestücken und Wortverzeichnis. 17. Auflage, neu bearbeitet von Ernst A. EBBINGHAUS. Tübingen, 1966. [= Sammlung kurzer Grammatiken germanischer Dialekte. Reihe A: Hauptreihe. Bd 1.]

(34) HEMPEL, Heinrich: Gotisches Elementarbuch. Grammatik, Texte mit Übersetzung und Erläuterungen. 4. Auflage. Berlin, 1966. [= Sammlung Göschen, Bd 79/79a.]

(35) KRAHE, Hans: Historische Laut- und Formenlehre des Gotischen. Zugleich eine Einführung in die germanische Sprachwissenschaft. Heidelberg, 1948. [= Sprachwissenschaftliche Studienbücher.]

(36) STREITBERG, Wilhelm: Gotisches Elementarbuch. 3. und 4. Auflage. Heidelberg, 191o. [= Germanische Bibliothek. I: Sammlung germanischer Elementar- und Handbücher. Reihe I: Grammatiken. Bd 2.]

* (37) BERGMANN, Rolf und Peter PAULY: Alt- und Mittelhochdeutsch. Arbeitsbuch zum linguistischen Unterricht. Göttingen, 1973.

* (38) GERDES, Udo und Gerhard SPELLERBERG: Althochdeutsch - Mittelhochdeutsch. Grammatischer Grundkurs zur Einführung und Textlektüre. Frankfurt a. M., 1972. [= Fischer Athenäum Taschenbücher, Bd 2oo8.]

* (39) SONDEREGGER, Stefan: Althochdeutsche Sprache und Literatur. Eine Einführung in das älteste Deutsch. Darstellung und Grammatik. Berlin und New York, 1974. [= Sammlung Göschen, Bd 8oo5.]

(4o) NAUMANN, Hans und Werner BETZ: Althochdeutsches Elementarbuch. Grammatik und Texte. 4. Auflage. Berlin, 1967. [= Sammlung Göschen, Bd 1111/1111a.]

(41) BRAUNE, Wilhelm: Abriß der althochdeutschen Grammatik. Mit Berücksichtigung des Altsächsischen. 13. Auflage, bearbeitet von Ernst A. EBBINGHAUS. Tübingen, 197o. [= Sammlung kurzer Grammatiken germanischer Dialekte. Reihe C: Abrisse. Bd 1.]

(42) BRAUNE, Wilhelm: Althochdeutsche Grammatik. Fortgeführt von Karl HELM. 12. Auflage, bearbeitet von Walther MITZKA. Tübingen, 1967. [= Sammlung kurzer Grammatiken germanischer Dialekte. Reihe A: Hauptreihe. Bd 5.]

(43) PAUL, Hermann: Mittelhochdeutsche Grammatik. 2o. Auflage von Hugo MOSER und Ingeborg SCHRÖBLER. Tübingen, 1969. [= Sammlung kurzer Grammatiken germanischer Dialekte. Reihe A: Hauptreihe. Bd 2.]

(44) WEINHOLD, Karl: Kleine mittelhochdeutsche Grammatik. Fortgeführt von Gustav EHRISMANN. Neu bearbeitet von Hugo MOSER. 15. Auflage. Wien und Stuttgart, 1968.

(45) de BOOR, Helmut und Roswitha WISNIEWSKI: Mittelhochdeutsche Grammatik. 4. Auflage. Berlin, 1965. [= Sammlung Göschen, Bd 11o8.]

(46) WEINHOLD, Karl: Mittelhochdeutsche Grammatik. 2. Ausgabe. Paderborn, 1883. Nachdruck: 1967.

(47) BIRNBAUM, Salomon A.: Die jiddische Sprache. Ein kurzer Überblick und Texte aus acht Jahrhunderten. Hamburg, 1974.

(48) BIRNBAUM, Salomon A.: Grammatik der jiddischen Sprache. Mit einem Wörterbuch und Lesestücken. 2. Auflage. Hamburg, 1966.

7. WÖRTERBÜCHER; ABHANDLUNGEN ZUR WORTGESCHICHTE UND HISTORISCHEN SEMANTIK:

(49) KLUGE, Friedrich: Etymologisches Wörterbuch der deutschen Sprache. 2o. Auflage, bearbeitet von Walther MITZKA. Berlin, 1967.

(5o) Deutsche Wortgeschichte. Hrsg. von Friedrich MAURER und Heinz RUPP. 3., neubearbeitete Auflage. Bd 1: Berlin und New York, 1974. [= Grundriß der germanischen Philologie, 3. Auflage, Bd 17/I.]

(51) Deutsche Wortgeschichte. Hrsg. von Friedrich MAURER und Fritz STROH. 2. Auflage. 3 Bde. Berlin, 1959/196o. [= Grundriß der germanischen Philologie, 3. Auflage, Bd 17/I-III.]

(52) HIRT, Herman: Etymologie der neuhochdeutschen Sprache. Darstellung des deutschen Wortschatzes in seiner geschichtlichen Entwicklung. 2. Auflage. München, 1921. [= Handbuch des deutschen Unterrichts an höheren Schulden, Bd 4, II.]

(53) SEILER, Friedrich: Die Entwicklung der deutschen Kultur im Spiegel des deutschen Lehnworts.
Teil I : Die Zeit bis zur Einführung des Christentums. 3. Auflage. Halle a. d. Saale, 1913.
Teil II: Von der Einführung des Christentums bis zum Beginn der neueren Zeit. 3. Auflage. Halle a. d. Saale, 1921.
Teil III/IV: Das Lehnwort der neueren Zeit. Halle a. d. Saale, 191o/1912.

(54) Der Volksname Deutsch. Hrsg. von Hans EGGERS. Darmstadt, 197o. [= Wege der Forschung, Bd 156.]

* (55) FRITZ, Gerd: Bedeutungswandel im Deutschen. Neuere Methoden der diachronen Semantik. Tübingen, 1974. [= Germanistische Arbeitshefte, Bd 12.]

8. HISTORISCHE PHONOLOGIE: ALLGEMEINES:

(56) REIS, Marga: Lauttheorie und Lautgeschichte. Untersuchungen am Beispiel der Dehnungs- und Kür-

zungsvorgänge im Deutschen. München, 1974. [= Internationale Bibliothek für allgemeine Linguistik, Bd 14.]

(57) KOCH, Walter A.: Zur Theorie des Lautwandels. Hildesheim und New York, 197o. [= Studia Semiotica, Series practica, Bd 2.]

(58) MOULTON, William G.: Types of Phonemic Change. In: To Honor Roman Jacobson. Essays on the Occasion of his Seventienth Birthday. Bd 2. The Hague, 1967. S. 1393-14o2.

(59) KIPARSKI, Paul: Phonological Change. [Diss. Cambridge, Mass., 1965.] Reproduced by the Indiana University Linguistics Club, 1971.

(6o) MARTINET, André: Economie des changements phonétiques. Traité de phonologie diachronique. 2. Auflage. Bern, 1964. [= Bibliotheca Romana, Series prima, Bd 1o.]

(61) HOENIGSWALD, Henry: Language Change and Linguistic Reconstruction. Chicago, 196o.

(62) WEINRICH, Harald: Phonemkollisionen und phonologisches Bewußtsein. In: Phonetica, Supplementum ad volumen 4 (1959), S. 45-48.

(63) SCHNEIDER, Gisela: Zum Begriff des Lautgesetzes in der Sprachwissenschaft seit den Junggrammatikern. Tübingen, 1973.

Grundsätzliches zur historischen Phonologie findet sich auch in den folgenden Werken:

* (64) COSERIU, Eugenio: Synchronie, Diachronie und Geschichte. Das Problem des Sprachwandels. Übersetzt von Helga SOHRE. München, 1974. [= Internationale Bibliothek für allgemeine Linguistik, Bd 3.]

(65) ANTILLA, Raimo: An Introduction to Historical and Comparative Linguistics. New York, 1972.

* (66) KING, Robert D.: Historische Linguistik und generative Grammatik. Übersetzt, eingeleitet und hrsg. von Steffen STELZER. Frankfurt a. M., 1971. [= Schwerpunkte Linguistik und Kommunikationswissenschaft, Bd 5.]

* (67) LEHMANN, Winfrid P.: Einführung in die historische Linguistik. Autorisierte, vom Verfasser durchgesehene Übersetzung von Rudolf FREUDENBERG. Heidelberg, 1969.

* (68) HJELMSLEV, Louis: Die Sprache. Eine Einführung. Aus dem Dänischen übersetzt, für deutsche Leser eingerichtet und mit einem Nachwort versehen von Otmar WERNER. Darmstadt, 1968.

* (69) PAUL, Hermann: Prinzipien der Sprachgeschichte. Studienausgabe der 8. Auflage. Tübingen, 197o. [= Konzepte der Sprach- und Literaturwissenschaft, Bd 6.]

9. HISTORISCHE PHONOLOGIE DES DEUTSCHEN: GESAMTDARSTELLUNGEN UND EINZELUNTERSUCHUNGEN:

* (7o) HERRLITZ, Wolfgang: Historische Phonologie des Deutschen. Teil I: Vokalismus. Tübingen, 197o. [= Germanistische Arbeitshefte, Bd 3.]

(71) PENZL, Herbert, REIS, Marga und Joseph B. VOYLES: Probleme der historischen Phonologie. Wiesbaden, 1974. [= Zeitschrift für Dialektologie und Linguistik, Beihefte, NF. Bd 12.]

(72) PENZL, Herbert: Lautsystem und Lautwandel in den althochdeutschen Dialekten. München, 1971.

* (73) Vorschläge für eine strukturelle Grammatik des Deutschen. Hrsg. von Hugo STEGER. Darmstadt, 197o. [= Wege der Forschung, Bd 146.]

Insbesondere:

MOULTON, William G.: Zur Geschichte des deutschen Vokalismus. [1961.] S. 48o-517.
FOURQUET, Jean: Die zwei e des Mittelhochdeutschen. Versuch einer diachronisch-phonemischen Behandlung. [1952.] S. 518-537.
TWADELL, W. F.: Einige Bemerkungen zum althochdeutschen Umlaut. [1938.] S. 538-544.
PENZL, Herbert: Umlaut und Sekundärumlaut. [1949.] S. 545-574.
MARCHAND, James W.: Der phonemische Stellenwert des althochdeutschen e. [1956.] S. 575-585.

(74) SCHWEIKLE, Günther: Akzent und Artikulation. Überlegungen zur althochdeutschen Lautgeschichte. In: PBB (T) 86 (1964), S. 197-265.

Cf. auch Nr. 15, 17, 18, 28-32.

1o. ZUR HISTORISCHEN MORPHOLOGIE DES DEUTSCHEN:

* (75) MEID, Wolfgang: Das germanische Präteritum. Innsbruck, 1971. [= Innsbrucker Beiträge zur Sprachwissenschaft, Bd 3.]

(76) SEEBOLD, Elmar: Vergleichendes und etymologisches Wörterbuch der germanischen Starken Verben. Den Haag und Paris, 197o. [= Ianua Linguarum, Series practica, Bd 85.]

Cf. auch Nr. 15, 17, 28-32.

T E I L   I :

A L L G E M E I N E R   T E I L

Die indogermanischen Sprachen (1): Übersicht

(1) **indische Sprachen:**

Altindisch : "Vedisch" - Sprache der Veden, der kanonischen Schriften des Hinduismus; (altind. veda- = "Wissen"). Älteste Texte aus dem 2. Jt. v. Chr.

"Sanskrit" - klassische indische Literatursprache (altind. saṁskṛta- = "kunstvoll zubereitet")

Mittelindisch : "Prakrit" - Sammelbezeichnung für zahlreiche Mundarten des indischen Altertums und Mittelalters (altind. prākṛta- = "volkstümlich")

Pāli als Sprache der kanonischen Schriften des südindischen Buddhismus

Neuindisch : u. a. Hindi

(2) **iranische Sprachen:**

Altiranisch : "Avestisch" - Sprache des Avesta, des kanonischen Schrifttums der Zarathustrier; älteste Texte aus dem 7. Jh. v. Chr. (?)

Altpersisch - Sprache der Achämenidenherrscher seit Dareios I; Inschriften in Keilschrift, 6. - 4. Jh. v. Chr.

Mitteliranisch : u. a. Pehlevi als Sprache des Sassanidenreiches

Neuiranisch : Persisch, Kurdisch, Afghanisch u. a.

> (1) + (2): **indoiranische Sprachen**;
> dazu vielleicht auch die Sprachen der antiken Skythen und Sarmaten zu rechnen

(3) **Tocharisch** †:

Turkestan; überliefert in Handschriften mit buddhistischen Texten aus dem 7. Jh. n. Chr., entdeckt im 2o. Jh.

(4) **Armenisch:**

seit dem 5. Jh. n. Chr.

(5) **altanatolische Sprachen:**

u. a.

Hethitisch †: Sprache des Hethiterreiches; Keilschrifttexte aus dem 15. und 14. Jh. v. Chr., gefunden in Boğazköi

Lykisch †

Lydisch †

(6) **Phrygisch** † Kleinasien; Inschriften, Eigennamen

Thrakisch † nordöstliche Balkanhalbinsel; Eigennamen

(7) **Griechisch:**

älteste überlieferte indogermanische Sprache Europas:

Schrifttafeln aus Knossos, Pylos, Mykene u.a. aus der Zeit um 14oo v. Chr. in einer als "Linear B" bezeichneten Schrift (Entzifferung 195o durch Michael Ventris)

literarische Überlieferung seit dem 8. Jh. (Homer)

Altgriechisch : Achäisch (an der Westküste Kleinasiens, auf den äolischen Inseln, in Thessalien, Boiotien, auf Zypern)

Ionisch-Attisch (an der Westküste Kleinasiens, auf den ionischen Inseln, auf Attika)

Dorisch (auf der Peloponnes, in Nordwestgriechenland, auf Kreta)

mehrere Literatursprachen, z. B. "episches Griechisch" ("homerisches Griechisch" - im wesentlichen Ionisch, einige Strukturelemente jedoch achäisch)

in hellenistischer Zeit die griechische Koinḗ als gemeingriechische Verkehrssprache auf attischer Basis (u. a. Sprache des NT)

Mittelgriechisch : Sprache des byzantinischen Reiches

Neugriechisch

(8) mindestens eine vorgriechische Sprache: **Pelasgisch** †:

erschlossen aus Lehnwörtern im Griechischen und aus Glossen; Bezeichnung durch Georgiew

(9) **Illyrisch** † nordwestliche Balkanhalbinsel; Eigennamen

Messapisch † Apulien, Calabrien; Inschriften, Eigennamen

(1o) **Albanisch:**

illyrischer Provenienz? Texte seit dem 19. Jh.

(11) V e n e t i s c h †: heutige Provinz Venezia; Inschriften

(12) i t a l i s c h e Sprachen:

Hauptsprachengruppe der Apenninhalbinsel im Altertum

l a t i n o - f a l l i s k i s c h e Gruppe:

L a t e i n i s c h : Stadtmundart von Rom; Inschriften seit dem 6. Jh. v. Chr.

F a l l i s k i s c h †: Mundart des Distrikts von Falerri (nördlich von Rom)

o s k i s c h - u m b r i s c h e Gruppe:

O s k i s c h † Campagna

U m b r i s c h † Umbrien, Mittelitalien

und zahlreiche weitere Mundarten

mit der Eroberung Italiens durch die Römer setzt sich das Lateinische zunächst in der Italia, mit der weiteren Ausbreitung des römischen Machtbereichs schließlich in der ganzen Romania durch

A l t l a t e i n
k l a s s i s c h e s L a t e i n
V u l g ä r l a t e i n (pompeianische Inschriften)
M i t t e l l a t e i n
N e u l a t e i n

Fortsetzung des Vulgärlateinischen in den

(12a) r o m a n i s c h e n Sprachen:

S p a n i s c h
P o r t u g i e s i s c h
K a t a l a n i s c h
P r o v e n z a l i s c h (Okzitanisch)
F r a n z ö s i s c h
rhätoromanische Mundarten: G r a u b ü n d n e r i s c h
L a d i n i s c h
F r i a u l i s c h

I t a l i e n i s c h
S a r d i s c h
D a l m a t i n i s c h †
R u m ä n i s c h

(13) k e l t i s c h e Sprachen:

"Festlandkeltisch": G a l l i s c h † Gallien; Eigennamen, Glossen, Inschriften

"Inselkeltisch": I r i s c h Irland; Literatur seit dem 8. Jh. n. Chr.
G ä l i s c h Schottland
M a n x (†) Isle of Man
K y m r i s c h Wales
K o r n i s c h † Cornwall
B r e t o n i s c h Bretagne (erst im 5. Jh. n. Chr. durch Rückwanderer aus Britannien auf das Festland verpflanzte inselkeltische Mundart)

(14) g e r m a n i s c h e Sprachen

(15) b a l t i s c h e Sprachen:

P r e u ß i s c h † - Sprache der baltischen Preußen; Texte des 15. und 16. Jh.s n. Chr.
L i t a u i s c h - seit dem 16. Jh.
L e t t i s c h - litauische Kolonialmundart; Texte ebenfalls seit dem 16. Jh.

(16) s l a w i s c h e Sprachen:

o s t s l a w i s c h e Gruppe:

K l e i n r u s s i s c h (Ukrainisch) - seit dem 11. Jh. n. Chr. (Anfänge des Reichs von Kiew)
G r o ß r u s s i s c h (eigentliches Russisch) - seit dem 15. Jh. n. Chr. (Anfänge des Reichs von Moskau)
W e i ß r u s s i s c h (B'elorussisch) - seit dem 16. Jh. n. Chr.

w e s t s l a w i s c h e Gruppe:

P o l n i s c h
S o r b i s c h
T s c h e c h i s c h
S l o w a k i s c h

mehrere ausgestorbene westslawische Mundarten in Nord- und Ostdeutschland, u. a.

P o l a b i s c h † ("Elbslawisch") im hannoverschen "Wendland" (nachweisbar bis ins 18. Jh.)

s ü d s l a w i s c h e Gruppe:

S l o w e n i s c h

S e r b i s c h]
K r o a t i s c h]

B u l g a r i s c h - älteste überlieferte slawische Sprache:
A l t k i r c h e n s l a w i s c h - Texte seit dem 9. Jh. n. Chr.

"1oo"

altind. śatam
avest. satəm; neupers. sat

tochar. känt (A), kánte (B)

gr. hekatón

lat. centum; span. ciento, portugies. cento, katalan. cent, provenzal. cent, cen, französ. cent, graubündner. tschien
ladin. tschient, friaul. sint, italien. cento, sard. kentu, [rumän. sută]

altir. cét, neuir. céad
kymr. cant

got. hund
altnord. hundrað; isländ. hundrað, norweg. (Nynorsk und Bokmål) hundre, dän. hundrede, schwed. hundra
altengl. hund, hundred; neuengl. hundred
niederländ. honderd
althochdeutsch hunt, mittelhochdeutsch, neuhochdeutsch hundert

litauisch šim̃tas, lett. simts

altkirchenslaw. sъto
russ. sto
poln. stu, sorb., tschech., slowak. sto
slowen. stô, serb., kroat. stô, bulgar. sto

Zeittafel:

2. Jt. v. Chr.	Altindisch Hethitisch (15./14. Jh. v. Chr.) mykenisches Griechisch (um 14oo v. Chr)
8. Jh. v. Chr.	Altgriechisch (älteste Vaseninschriften; "Ilias")
6. Jh. v. Chr.	älteste Inschrift in lateinischer Sprache ("Pränestinische Fibel")
4. Jh. v. Chr.	Tabulae Iguvinae - bedeutendstes Denkmal der altital. Sprachen (umbrisch)
2. Jh. v. Chr.	älteste erhaltene literarische Texte in lateinischer Sprache
um Christi Geburt	Helm von Negau - ältestes Zeugnis in einer germanischen Mundart
4. Jh. n. Chr.	gotische Bibelübersetzung des Wulfila
8. Jh. n. Chr.	Anfänge der irischen Literatur, Anfänge der deutschen und englischen Literatur
9. Jh. n. Chr.	Anfänge der bulgarischen Literatur (Kyrill und Method)
11. Jh. n. Chr.	Anfänge der russ. (kleinruss.) Literatur
12. Jh. n. Chr.	Anfänge der skandinavischen Literatur
15. Jh. n. Chr.	erste Texte in großrussischer Sprache
16. Jh. n. Chr.	Anfänge der litauischen und lettischen Literatur
19. Jh. n. Chr.	Anfänge der albanischen Literatur

N i c h t i n d o g e r m a n i s c h e S p r a c h e n E u r o p a s :

-- die Sprachen der F i n n e n und L a p p e n]
-- U n g a r i s c h] f i n n - u g r i s c h e Sprachen

-- B a s k i s c h

-- in antiker Zeit u. a. das E t r u s k i s c h e (Inschriften vom 7. - 1. Jh. v. Chr.)

Die indogermanischen Sprachen (2): Wortgleichungen

		altindisch ("Sanskrit")	griechisch	lateinisch	gotisch	alt- englisch	neu- englisch	alt- hochdeutsch	neu- hochdeutsch
(1)	"Vater"	pitar- (N.Sg. pitā)	patḗr	pater	fadar	fæder	father	fater	Vater
(2)	"Mutter"	mātar- (N.Sg. mātā)	mḗtēr	māter	--	mōdor	mother	muoter	Mutter
(3)	"Bruder"	bhrātar- (N.Sg. bhrātā)	phrā́tōr	frāter	brōþar	brōđor	brother	bruoder	Bruder
(4)	"Schwester"	svasar- (N.Sg. svasā)	--	soror	swistar	sweostor	sister	swester	Schwester
(5)	"Tochter"	duhitar- (N.Sg. duhitā)	thygátēr	--	daúhtar	dohtor	daughter	tohter	Tochter
(6)	"Schwieger- vater"	śvaśura-	hekyrós	socer	swaíhra	swēor	--	swehur	Schwäher
(7)	"Schwieger- mutter"	śvaśrū-	hekyrā́	socrus	swaíhrō	sweger	--	swigar	Schwieger
(8)	"Schwieger- tochter"	snuṣā-	nyós	nurus	(krimgot. schnos)	snoru:	--	snur, snura	Schnur
(9)	"Vieh"	paśu-	--	pecu, pecus	faíhu	feoh	fee	fihu	Vieh
(1o)	"Rind"	gauḥ	boûs	bōs	--	kū	cow	kuo	Kuh
(11)	"Schaf"	avi-	óis, oîs	ovis	--		--	ou, ouwi	Au, Aue
(12)	"Ziege"	--	--	haedus	gaits	gāt	goat	geiz	Geiß
(13)	"Schwein"	sū-(kara-)	hŷs	sūs	--	sū	--	sū	Sau
(14)	"hund"	śvan (N.Sg. śvā)	kýōn (Gen.Sg. kynós)	canis	hunds	hund	hound	hunt	Hund
(15)	"Pferd"	aśva-	híppos (?)	equus	aíhwa-	eoh	--	(altniederdt. ehu)	--
(16)	"melken, Milch"	mārj-	amélgō	mulgeō	-- miluks	meolcan mioluc	to milk milk	melkan miluh	melken Milch
(17)	"Wolle"	ūrṇá-	lânos	lāna	wulla	wull	wool	wolla	Wolle
(18)	"Gespann"	yuga-	zygón	iugum	juk	geoc	yoke	joh	Joch
(19)	"Rad, Wagen"	ratha-	--	rota	--	--	--	rad	Rad
(2o)	"2"	dvau / dvā, dve	dýō, dýo	duo	twai twōs twa	twǣgen twā tū	twain two	zwēne zwō zwei	zween zwo zwei
(21)	"3"	trayaḥ trī	treîs tría	trēs tria	þreis þrija	þrie þrīo	three	drī driu	drei
(22)	"5"	pañca	pénte	quinque	fimf	fīf	fife	fimf	fünf
(23)	"1o"	daśa	déka	decem	taíhun	tīen, tȳn	ten	zehan	zehn
(24)	"1oo"	śatam	hekatón	centum	hund	hund, hundred	-- hundred	hunt, (mittel- hochdt. hundert)	-- hundert
(24)	"er ist" "sie sind"	asti santi	esti (dor. enti)	est sunt	ist sind	is sindon	is --	ist sint	ist sind
(25)	"sie tragen"	bharanti	(dor. phéronti)	ferunt	baírand	berađ	bear	berant	[ge]bären

Die indogermanischen Sprachen (3):

Das Problem ihrer "Verwandtschaft"

Stammbaumtheorie und Wellentheorie

August Schleicher: Die Darwinsche Theorie und die Sprachwissenschaft. Weimar, 1873.

"Die Sprachen sind Naturorganismen, die, ohne vom Willen des Menschen bestimmbar zu sein, entstanden, nach bestimmten Gesetzen wuchsen und sich entwickelten und wiederum altern und absterben; auch ihnen ist jene Reihe von Erscheinungen eigen, die man unter dem Namen "Leben" zu verstehen pflegt. Die Glottik, die Wissenschaft der Sprache, ist demnach eine Naturwissenschaft; ihre Methode ist im ganzen und allgemeinen dieselbe wie die der übrigen Naturwissenschaften." (S. 7)

"Darwins Lehre scheint mir [...] eine notwendige Folge der heutzutage in der Naturwissenschaft geltenden Grundsätze zu sein. Sie beruht auf Beobachtung und ist wesentlich ein Versuch einer Entwicklungsgeschichte. [...] Das, was Darwin für die Arten der Tiere und Pflanzen geltend macht, gilt nun aber auch, wenigstens in seinen hauptsächlichsten Zügen, für die Organismen der Sprachen." (S. 11/12)

"Was nun zunächst die von Darwin behauptete Veränderungsfähigkeit der Arten im Verlaufe der Zeit betrifft, [...] so ist sie für die sprachlichen Organismen längst allgemein angenommen. Diejenigen Sprachen, die wir, wenn wir uns der Ausdrucksweise der Botaniker und Zoologen bedienten, als Arten einer Gattung bezeichnen würden, gelten uns als Töchter einer gemeinsamen Grundsprache, aus welcher sie durch allmähliche Veränderungen hervorgingen. Von Sprachsippen, die uns genau bekannt sind, stellen wir ebenso Stammbäume auf, wie dies Darwin für die Arten von Pflanzen und Tieren versucht hat." (S. 13/14)

"In einer frühen Lebensperiode des Menschengeschlechts gab es eine Sprache, die wir aus den aus ihr hervorgegangenen indogermanisch genannten Sprachen ziemlich genau erschließen können, die indogermanische Ursprache. Nachdem sie von einer Reihe von Generationen gesprochen ward, währenddem wahrscheinlich das sie redende Volk sich mehrte und ausbreitete, nahm sie auf verschiedenen Teilen ihres Gebietes allmählich einen verschiedenen Charakter an, so daß endlich zwei Sprachen aus ihr hervorgingen. Möglicherweise können es auch mehrere Sprachen gewesen sein, von denen aber nur zwei am Leben blieben und sich weiterentwickelten; dasselbe gilt auch von allen späteren Teilungen. Jede dieser beiden Sprachen unterlag dem Differenzierungsprozesse noch zu wiederholten Malen." (S. 15)

Johannes Schmidt: Die Verwandtschaftsverhältnisse der indogermanischen Sprachen. Weimar, 1872.

"Man mag sich also drehen und wenden wie man will, solange man an der anschauung fest hält, daß die in historischer zeit erscheinenden sprachen durch merfache gabelungen aus der ursprache hervorgegangen seien, d. h. solange man einen stammbaum der indogermanischen sprachen annimmt, wird man nie dazu gelangen, alle die hier in frage stehenden tatsachen wissenschaftlich zu erklären." (S. 17/18)

"Überall sehen wir continuierliche übergänge aus einer sprache in die andere, und es läßt sich nicht verkennen, daß die indogermanischen sprachen im ganzen und großen desto mer an ursprünglichkeit eingebüßt haben, je weiter sie nach westen vorgerückt sind, und je zwei aneinander grenzende sprachen immer gewisse nur inen gemeinsame charakterzüge zeigen." (S. 24)

"Wollen wir nun die verwandtschaftsverhältnisse der indogermanischen sprachen in einem bilde darstellen, welches die entstehung irer verschidenheit veranschaulicht, so müssen wir die idee des stammbaumes gänzlich aufgeben. Ich möchte an seine stelle das bild der welle setzen, welche sich in concentrischen, mit der entfernung vom mittelpunkte immer schwächer werdenden ringen ausbreitet. Daß unser sprachgebiet keinen kreis bildet, sondern höchstens einen kreissektor, daß die ursprünglichste sprache nicht im mittelpunkte, sondern an dem einen ende des gebietes ligt, tut nichts zur sache. Mir scheint auch das bild einer schiefen, vom sanskrit zum keltischen in ununterbrochener linie geneigten ebene nicht unpassend. Sprachgrenzen innerhalb dises gebietes gab es ursprünglich nicht, zwei von einander beliebig weit entfernte dialekte des selben A und X waren durch continuierliche varietäten B, C, D usw. mit einander vermittelt. Die entstehung der sprachgrenzen oder, um im bilde zu bleiben, die umwandelung der schiefen ebene in eine treppe stelle ich mir so vor, daß ein geschlecht oder ein stamm, welcher z. b. die varietät F sprach, durch politische, religiöse, sociale oder sonstige verhältnisse ein übergewicht über seine nächste umgebung gewann. Dadurch wurden die zunächst ligenden sprachvarietäteten G, H, I, K nach der einen, E, D, C nach der anderen seite hin von F unterdrückt und von F ersetzt. Nachdem dis geschehen war, grenzte F auf der einen seite unmittelbar an B, auf der andern unmittelbar an L, die mit beiden vermittelnden varietäten waren auf gleiches niveau mit F auf der einen seite gehoben, auf der anderen herabgedrückt. Damit war zwischen F und B einerseits, zwischen F und L andererseits eine scharfe sprachgrenze gezogen, eine stufe an die stelle der schiefen ebene getreten. Derartiges ist ja in historischer zeit oft genug geschehen, ich erinnere nur an die immer mer und mer wachsende macht des attischen, welche die dialekte allmählich ganz aus der schriftsprache verdrängte, an die sprache der statt Rom, welche sämmtliche übrigen italischen dialekte erdrückte, an das neuhochdeutsche, welches in villeicht nicht allzu langer zeit die gleiche vernichtung der deutschen dialekte vollbracht haben wird.

Bilder haben in der wissenschaft nur ser geringen wert, und misfallen jemand die hier gewälten, so mag er sie nach belieben durch treffendere ersetzen, an dem ergebnisse der vorstehenden untersuchung wird dadurch nichts geändert." (S. 27/28)

S u b s t r a t t h e o r i e ; l i n g u i s t i s c h - k u l t u r h i s t o r i s c h e M e t h o d e

Hans K r a h e : Sprache und Vorzeit. Europäische Vorgeschichte nach dem Zeugnis der Sprache. Heidelberg, 1954.

"Man wird zugeben müssen, daß das so von Johannes Schmidt entworfene Bild die Entwicklung oder - wie man heute gern auch sagt - die 'Ausgliederung' der idg. Einzelsprachen sehr viel natürlicher und dem Sprachleben gemäßer erklärt als die der seinen vorausgegangenen Theorien. Unbedingt richtig ist die Auffassung von der allmählichen Ausbreitung sprachlicher Neuerungen und der damit verbundenen dialektischen Differenzierung, - ein Vorgang, wie er an den heute lebenden Sprachen immer aufs neue beobachtet und kontrolliert werden kann; und in der idg. Frühzeit wird es kaum anders gewesen sein. Auch darin bedeutet die Wellentheorie einen fundamentalen Fortschritt gegenüber der Schleicherschen Stammbaumthese, daß sie an die Stelle des sozusagen mathematisch errechneten Punktes die Fläche setzt, an die Stelle einer imaginären Urzelle ein auch in der frühesten für uns denkbaren Entwicklungsphase schon vorhanden gewesenes und nicht gar zu vorzustellendes Verbreitungsgebiet des Indogermanentums.

Andererseits aber bleibt auch Johannes Schmidts Lösungsversuch noch im Schematischen befangen, ist in zu hohem Maße noch abstrakte Konstruktion und trägt zu wenig der Grundtatsache Rechnung, daß <u>s p r a c h l i c h e</u> E n t w i c k l u n g e i n S p i e g e l b i l d g e - <u>s c h i c h t l i c h e r</u> E n t w i c k l u n g ist. Sowenig aber die Geschichte von Völkern und Staaten nach bestimmten 'Regeln' abläuft, sondern von den mannigfachsten und immer wieder wechselnden Bedingungen und Konstellationen abhängig ist, sowenig auch vollzieht sich die Geschichte und Entwicklung der Sprachen, die doch mit ihren Schicksalen an die sie sprechenden Menschen und Völker gebunden sind, in allgemeingültigen gleichartigen Bahnen und nach starren 'Richtlinien'. Daher wird man ein einigermaßen stichhaltiges Urteil über die 'Ausgliederung' der idg. Einzelsprachen aus der vorausgesetzten einstigen (relativen) Einheitlichkeit erst gewinnen können, wenn man den Habitus und die Schicksale jeder dieser Sprachen e i n z e l n und ohne sich einem festgelegten Schematismus zu verschreiben untersucht, mit Mitteln und Methoden, welche jeweils der betreffenden e i n e n Sprache angemessen sind. Denn 'Methode' ist ja nicht etwas von vornherein und gleichsam 'abstrakt' Gegebenes, sondern muß in jedem Einzelfall immer wieder neu aus dem gerade zu erforschenden Gegenstand heraus erarbeitet werden. Dabei wird man von den historischen Sprachzuständen auszugehen und sich dann behutsam und Schritt für Schritt in deren Vorgeschichte zurückzutasten haben, um endlich - sofern dies überhaupt gelingt - den Anschluß an jene allen gemeinsame Grundsprache zu erreichen; und der zu diesem Weg wird ein vielfältig verschiedener, keinesfalls bei allen Einzelsprachen der gleiche sein." (S. 28/29)

S u b s t r a t t h e o r i e :

Herman H i r t (zitiert nach: Hans Arens: Sprachwissenschaft. Der Gang ihrer Entwicklung von der Antike bis zur Gegenwart. 2. Aufl. Freiburg und München, 1969. = Orbis Academicus, Bd I/6. S. 474) :

"Meine These lautet also: die großen Dialektgruppen der indogermanischen Sprache erklären sich in der Hauptsache aus dem Übertragen der Sprache der indogermanischen Eroberer auf die fremdsprachige unterworfene Bevölkerung und dem Einfluß dieser Sprache auf die Kinder."

L i n g u i s t i s c h - k u l t u r h i s t o r i s c h e M e t h o d e :

Hans K r a h e : Sprache und Vorzeit. A.a.O.

"Die Grundgedanken der 'linguistisch-kulturhistorischen' Methode sind kurz folgende: Auf Grund des Materials, das die idg. Einzelsprachen liefern, ist [...] ein gewisser Wortvorrat für die idg. Grundsprache zu erschließen. Wenn aber die W ö r t e r vorhanden waren, so müssen auch die damit bezeichneten S a c h e n bekannt gewesen sein. Und so entwirft man denn ein Bild des Kultur- und Geistesbesitzes der Indogermanen. Man stellt z. B. fest, welche Waldbäume sie kannten, welche Haustiere sie züchteten, unter welchen klimatischen Bedingungen sie lebten, ob sie Schiffahrt und ob sie Ackerbau trieben usw. An Hand des so gewonnenen Bildes sucht man dann mit Hilfe der Pflanzengeographie, der Geschichte der Haustiere usw. eine Gegend ausfindig zu machen, auf die alle erschlossenen Gegebenheiten zutreffen und dieses Gebiet bestimmt man dann als ältesten idg. Siedlungsraum." (S. 31)

K r i t i k a n d e r I n d o g e r m a n e n f o r s c h u n g

Nikolaj Jakowlewitsch M a r r : Der japhetitische Kaukasus und das dritte ethnische Element im Bildungsprozess der mittelländischen Kultur. In: Japhetitische Studien. Hrsg. von F. Braun und N. Marr. Heft 2. Berlin, Stuttgart und Leipzig, 1923. S. 41-44.

"Die europäische Gesellschaft nach der Revolution mit ihren romantischen Stimmungen und Restaurationsträumen bot nicht die Bedingungen, die für eine vertiefte und zugleich erweiterte Ausnützung der neuen linguistischen Methode günstig gewesen wären - einer Methode, die zudem nicht von der Sprachwissenschaft aus sich organisch entwickelt, sondern von auswärts übernommen war: die Lingusitik hatte sie von den Naturwissenschaften entlehnt. In diesem für ihr normales Gedeihen ungünstigen Milieu entstand und entwickelte sich die indoeuropäische Lingustik mit ihrer vergleichenden Grammatik der indoeuropäischen Sprachen. Auf dem Gebiete der Probleme, welche uns hier interessieren, eignete sich diese Wissenschaft die Weltanschauung der auf religiöser Grundlage aufgebauten Gesellschaft, die religiöse Auffassung des universellen Kulturprozesses an. Die indoeuropäische Linguistik ersetzte nur die auf religiöser Grundlage entstandene Teilung der Menschheit durch eine Teilung nach linguistischen Kriterien; sie schied die indoeuropäische Sprachfamilie aus der Gesamtheit aus, ergab sich dem ausschließlichen vertieften Sonderstudium der indogermanischen Völker und zog nur das mit heran, was vom damaligen Standpunkt der Forscher aus in augenscheinlicher Verbindung damit stand. Auf die indoeuropäischen Völker, die indoeuropäische Rasse übertrug sie die Auffassung der konfessionellen Theologie vom auserwählten Volk, das in seinen verschiedenen Arten hauptsächlich die europäische Welt erfüllte. In den siebziger und achziger Jahren erreichte die indoeuropäische Linguistik den Höhepunkt ihrer schöpferischen Entwicklung und begann bald das Fazit des Erreichten zu ziehen, Katechismen mit dogmatischer Darstellung des scheinbar fertigen Gebäudes - der Lehre von der Sprache aufzusetzen. Ist es ein Zufall, daß das gerade in den siebziger und achziger Jahren des vorigen Jahrhunderts geschah?" (S. 41)

Nikolaj Sergejewitsch T r u b e t z k o y : Gedanken über das Indogermanenproblem. In: Acta linguistica 1 (1939), S. 81-89.

"Indogermanen heißen solche Menschen, deren Muttersprache zur indogermanischen Sprachfamilie gehört. Aus dieser wissenschaftlich einzig möglichen Definition folgt, daß 'Indogermane' ein rein sprachwissenschaftlicher Begriff ist, so wie etwa 'Syntax', 'Genitiv', 'Lautwandel' usw. Es gibt indogermanische Sprachen, und es gibt Völker, die diese Sprachen reden. Das einzige, was all diesen Völkern gemein ist, ist die Zugehörigkeit ihrer Sprachen zu derselben Sprachfamilie [...] Der Begriff 'Sprachfamilie' setzt gar nicht die gemeinsame Abstammung einer Anzahl von Sprachen von einer einzigen Ursprache voraus [...] Ebenso denkbar ist, daß die Vorfahren der indogermanischen Sprachzweige ursprünglich einander unähnlich waren, sich aber durch ständigen Kontakt, gegenseitige Beeinflussung und Lehnverkehr allmählich einander bedeutend genähert haben, ohne jedoch jemals miteinander ganz identisch zu werden.

Diese Möglichkeit muß jedenfalls bei der Erörterung des Indogermanenproblems immer ins Auge gefaßt werden. Dadurch daß bisher nur die Hypothese der einheitlichen Ursprache berücksichtigt wurde, ist das Problem auf ein falsches Geleise geraten. Sein erstes, rein linguistisches Wesen wurde vergessen. Prähistorische Archäologie, Anthropologie und Ethnologie werden unberechtigterweise herangezogen. Man diskutiert über den Wohnsitz, die Rasse und die Kultur des angeblichen indogermanischen Urvolkes, das vielleicht niemals existiert hat. Das Indogermanenproblem bekommt ungefähr folgende Fassung: 'Welcher Typus der prähistorischen Keramik muß dem indogermanischen Volke zugeschrieben werden?' Diese und ähnliche Fragen sind aber wissenschaftlich unlösbar und daher müßig. Sie drehen sich in einem logischen Kreise, weil die Voraussetzung der Existenz eines indogermanischen Urvolkes mit bestimmten Kultur- und Rassenmerkmalen sich nicht rechtfertigen läßt. Man läuft einem romantischen Hirngespinste nach, statt sich an die einzige positive wissenschaftliche Angabe zu halten - nämlich daß 'Indogermane' ein rein linguistischer Begriff ist.

Die einzige wissenschaftlich mögliche Fragestellung muß lauten: Wie und wo ist der indogermanische Sprachbau entstanden? Diese Frage darf und kann nur mit rein sprachwissenschaftlichen Mitteln beantwortet werden." (S. 81/82)

D i e g e r m a n i s c h e n S p r a c h e n (1) :

Ü b e r s i c h t

Gliederung der germanischen Sprachen umstritten. Die modernen germanischen Sprachen lassen eine Zweiteilung erkennen:

(1) w e s t g e r m a n i s c h e Sprachen:

a n g l o - f r i e s i s c h e Gruppe:

E n g l i s c h - Texte seit dem 8. Jh.

F r i e s i s c h - Texte seit dem 13. Jh.

Die moderne friesische Schriftsprache in der niederländischen Provinz Friesland beruht auf dem W e s t - f r i e s i s c h e n ; andere friesische Mundarten - O s t f r i e s i s c h (auf der Insel Wangeroog und im oldenburgischen Saterland) und N o r d f r i e s i s c h (auf den Halligen, auf den nordfriesischen Inseln, darunter Sylt, auf dem gegenüberliegenden Festlandstreifen) - sind im Aussterben begriffen.

d e u t s c h - n i e d e r l ä n d i s c h e Gruppe:

N i e d e r l ä n d i s c h - Texte seit dem 9. Jh.

Die Sprache der ältesten niederländischen Texte wird noch als N i e d e r f r ä n k i s c h bezeichnet; die mittelniederländische Verkehrssprache beruht auf der südlichen Mundart - V l ä m i s c h ; die moderne niederländische Schriftsprache, die auch im belgischen Flandern gilt, basiert dagegen auf der nördlichen Mundart - H o l l ä n d i s c h ; sie heißt A l g e m e e n B e s c h a a f d N e d e r l a n d s. Dem Niederländischen zuzurechnen ist das A f r i k a a n s (K a p h o l l ä n d i s c h e) in Südafrika.

D e u t s c h - Texte seit dem 8. Jh.

Die moderne deutsche Schriftsprache basiert auf den mittel- und oberdeutschen Mundarten - H o c h - d e u t s c h ; das Hochdeutsche hat seit dem 17. Jh. auch die Ansätze zu einer auf dem N i e d e r - d e u t s c h e n (" S ä c h s i s c h e n ") beruhenden Verkehrs- und Schriftsprache verdrängt. Dem Deutschen zuzurechnen ist das J i d d i s c h e , die Sprache der "aschkenasischen" Juden (Mittel- und) Osteuropas.

(2) n o r d g e r m a n i s c h e Sprachen:

w e s t n o r d i s c h e Gruppe:

I s l ä n d i s c h

F ä r ö i s c h

norwegisches L a n d s m å l (N y n o r s k)

o s t n o r d i s c h e Gruppe:

D ä n i s c h

norwegisches R i k s m å l (B o k m å l)

S c h w e d i s c h

Dazu kommt als historische Gruppe die der ausgestorbenen

(3) o s t g e r m a n i s c h e n Sprachen † :

bezeugt ist das

G o t i s c h e - Sprache der (west)gotischen Bibelübersetzung Wulfilas (4. Jh. n. Chr.).

In Südrußland sind Reste ostgermanischer Mundarten bis ins 18. Jh. nachweisbar:

K r i m g o t i s c h

Die historische Gliederung der germanischen Sprachen ist komplizierter; es ist auf keinen Fall eine stammbaummäßige Gliederung. Verschiedene Gruppierungen überlagern sich - die Umrisse der heutigen Sprachen zeichnen sich erst allmählich ab.

Die germanischen Sprachen (2):

Von den Stammesmundarten der Frühzeit zu den modernen Nationalsprachen

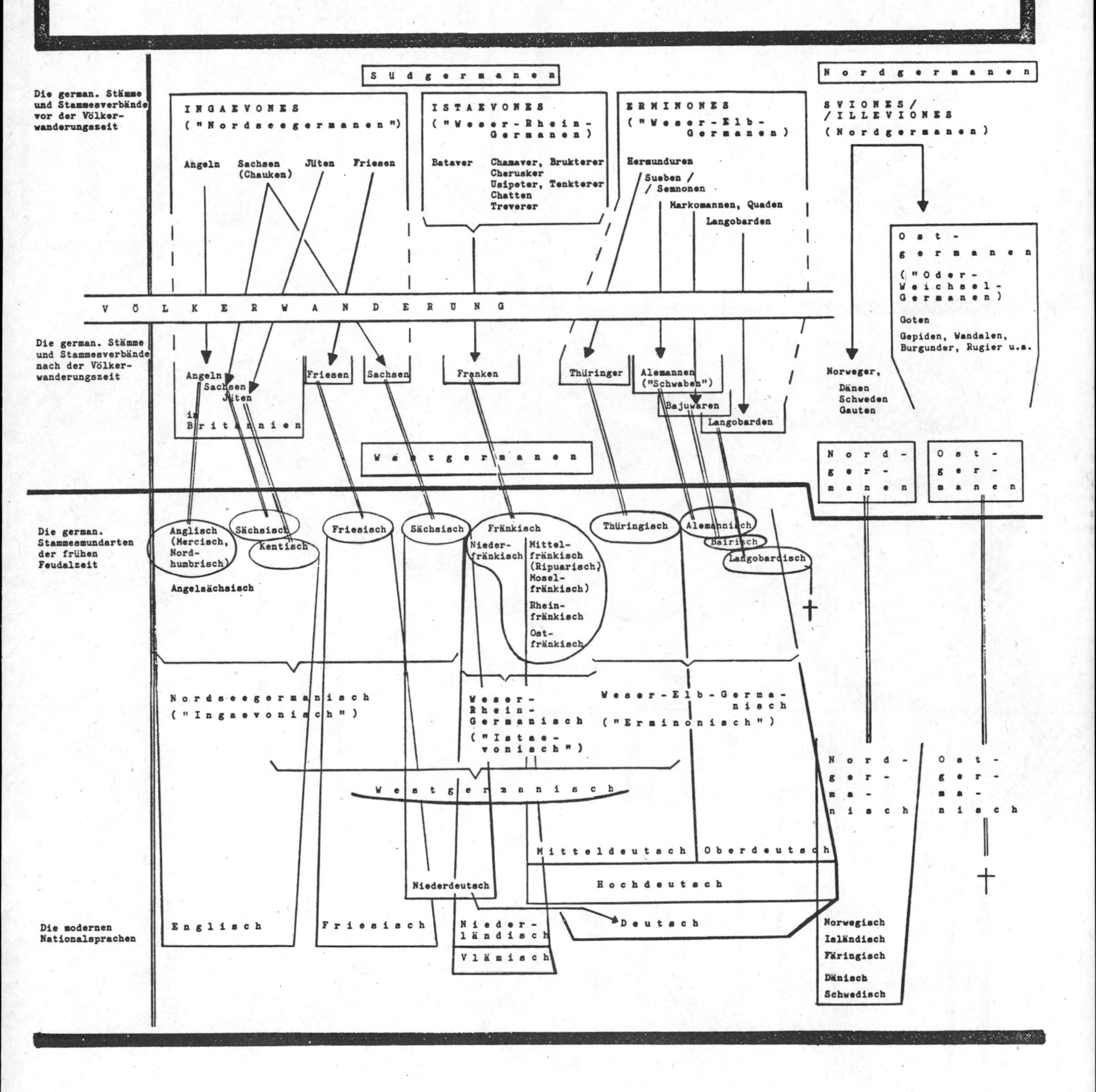

Südgermanen
Nordgermanen
Die german. Stämme und Stammesverbände vor der Völkerwanderungszeit
INGAEVONES ("Nordseegermanen")
Angeln
Sachsen (Chauken)
Jüten
Friesen
ISTAEVONES ("Weser-Rhein-Germanen")
Bataver
Chamaver, Brukterer
Cherusker
Usipeter, Tenkterer
Chatten
Treverer
ERMINONES ("Weser-Elb-Germanen")
Hermunduren
Sueben / Semnonen
Markomannen, Quaden
Langobarden
SVIONES / ILLEVIONES (Nordgermanen)
Ost-germanen ("Oder-Weichsel-Germanen")
Goten
Gepiden, Wandalen, Burgunder, Rugier u.a.
VÖLKERWANDERUNG
Die german. Stämme und Stammesverbände nach der Völkerwanderungszeit
Angeln
Sachsen
Jüten
in Britannien
Friesen
Sachsen
Franken
Thüringer
Alemannen ("Schwaben")
Bajuwaren
Langobarden
Norweger,
Dänen
Schweden
Gauten
Westgermanen
Nord-ger-manen
Ost-ger-manen
Die german. Stammesmundarten der frühen Feudalzeit
Anglisch (Mercisch, Nordhumbrisch)
Sächsisch
Kentisch
Angelsächsisch
Friesisch
Sächsisch
Fränkisch
Niederfränkisch
Mittelfränkisch (Ripuarisch) Moselfränkisch)
Rheinfränkisch
Ostfränkisch
Thüringisch
Alemannisch
Bairisch
Langobardisch
Nordseegermanisch ("Ingaevonisch")
Weser-Rhein-Germanisch ("Istaevonisch")
Weser-Elb-Germanisch ("Erminonisch")
Westgermanisch
Nord-ger-ma-nisch
Ost-ger-ma-nisch
Mitteldeutsch
Oberdeutsch
Hochdeutsch
Niederdeutsch
Die modernen Nationalsprachen
Englisch
Friesisch
Niederländisch
Vlämisch
Deutsch
Norwegisch
Isländisch
Färingisch
Dänisch
Schwedisch

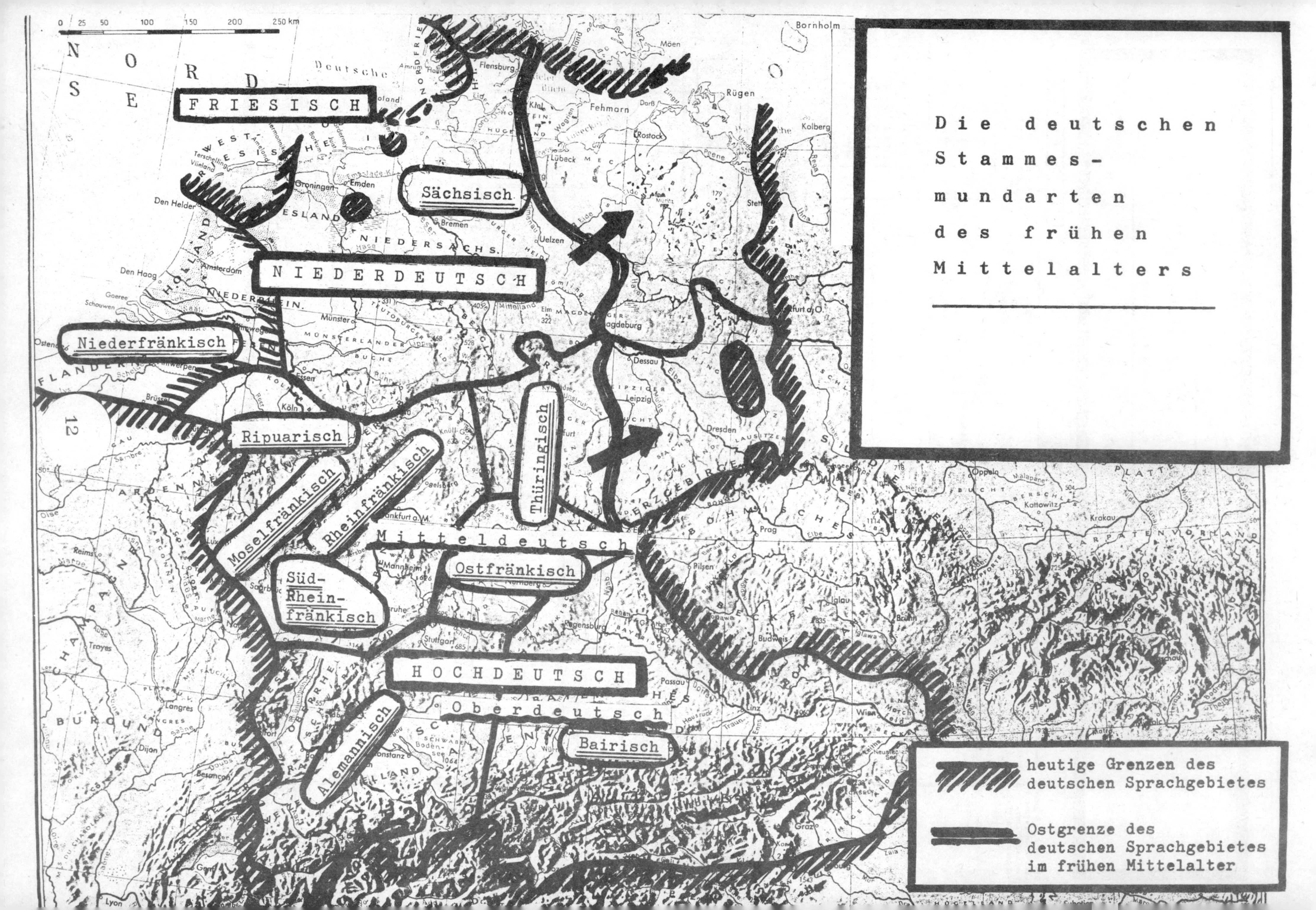
Die deutschen Stammesmundarten des frühen Mittelalters
FRIESISCH
Sächsisch
NIEDERDEUTSCH
Niederfränkisch
Ripuarisch
Moselfränkisch
Rheinfränkisch
Thüringisch
Mitteldeutsch
Ostfränkisch
Süd-Rhein-fränkisch
HOCHDEUTSCH
Oberdeutsch
Alemannisch
Bairisch
heutige Grenzen des deutschen Sprachgebietes
Ostgrenze des deutschen Sprachgebietes im frühen Mittelalter
NORD SEE
0 25 50 100 150 200 250 km

Epochen der deutschen Sprachgeschichte

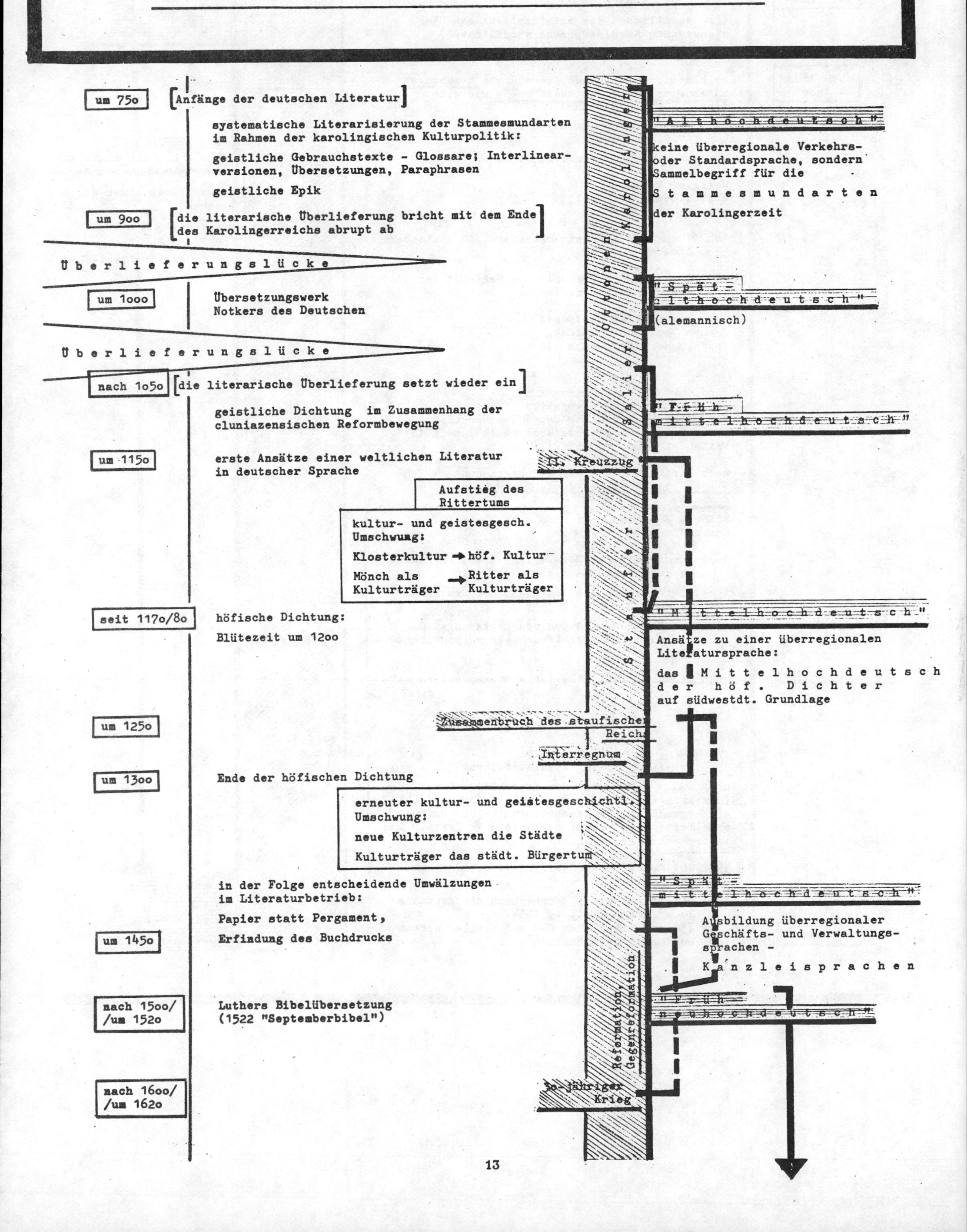

um 75o
Anfänge der deutschen Literatur
systematische Literarisierung der Stammesmundarten im Rahmen der karolingischen Kulturpolitik:
geistliche Gebrauchstexte - Glossare; Interlinearversionen, Übersetzungen, Paraphrasen
geistliche Epik
um 9oo
die literarische Überlieferung bricht mit dem Ende des Karolingerreichs abrupt ab
Überlieferungslücke
um 1ooo
Übersetzungswerk Notkers des Deutschen
Überlieferungslücke
nach 1o5o
die literarische Überlieferung setzt wieder ein
geistliche Dichtung im Zusammenhang der cluniazensischen Reformbewegung
um 115o
erste Ansätze einer weltlichen Literatur in deutscher Sprache
Aufstieg des Rittertums
kultur- und geistesgesch. Umschwung:
Klosterkultur → höf. Kultur
Mönch als Kulturträger → Ritter als Kulturträger
seit 117o/8o
höfische Dichtung:
Blütezeit um 12oo
um 125o
um 13oo
Ende der höfischen Dichtung
erneuter kultur- und geistesgeschichtl. Umschwung:
neue Kulturzentren die Städte
Kulturträger das städt. Bürgertum
in der Folge entscheidende Umwälzungen im Literaturbetrieb:
Papier statt Pergament,
um 145o
Erfindung des Buchdrucks
nach 15oo/ /um 152o
Luthers Bibelübersetzung (1522 "Septemberbibel")
nach 16oo/ /um 162o
Karolinger
Ottonen
Salier
Staufer
II. Kreuzzug
Zusammenbruch des staufischen Reichs
Interregnum
Reformation, Gegenreformation
3o-jähriger Krieg
"Althochdeutsch"
keine überregionale Verkehrs- oder Standardsprache, sondern Sammelbegriff für die Stammesmundarten der Karolingerzeit
"Spätalthochdeutsch"
(alemannisch)
"Frühmittelhochdeutsch"
"Mittelhochdeutsch"
Ansätze zu einer überregionalen Literatursprache:
das Mittelhochdeutsch der höf. Dichter auf südwestdt. Grundlage
"Spätmittelhochdeutsch"
Ausbildung überregionaler Geschäfts- und Verwaltungssprachen -
Kanzleisprachen
"Frühneuhochdeutsch"

nach 15oo/
um 152o

Luthers Bibelübersetzung
(1522 "Septemberbibel")

(im wesentlichen der ostmitteldeutschen Kursächsischen Kanzleisprache verpflichtet)

nach 16oo/
um 162o

seit dem frühen 17. Jh. verstärkte Bemühungen um eine deutsche Nationalsprache und eine deutsche Nationalliteratur:

1617 "Fruchtbringende Gesellschaft"
("Palmenorden")

→ Sprachgesellschaften

Wolfgang Ratke,
Justus Georg Schottel,
Caspar Stieler

1687 Thomasius kündigt Vorlesungen in deutscher Sprache an

1711 Gründung der Preussischen Sozietät der Wissenschaften zu Berlin

Johann Christoph Gottsched,
Johann Christoph Adelung,
Joachim Heinrich Campe

Jacob und Wilhelm Grimm
(J. G., "Deutsche Grammatik", 3 184o;
J. G., "Geschichte der deutschen Sprache", 1848;
J. u. W. G., "Deutsches Wörterbuch", seit 1854, vollendet 196o, 2 1965ff.)

nach der Bismarck'schen Reichsgründung
Standardisierung der deutschen Nationalsprache:

Wilhelm Wilmanns,
Conrad Duden

1876 "Conferenz zur Herstellung größerer Einigung in der deutschen Rechtschreibung"

19o1 "Orthographische Conferenz der deutschen Länder"

19o7 der "Duden" wird von den Regierungen der deutschsprachigen Länder als verbindlich erklärt

1898 Theodor Siebs, "Deutsche Bühnenaussprache"

1956 Arbeitskreis für Rechtschreibung

"Wiesbadener Empfehlungen" von 1958
(der Arbeitskreis für Rechtschreibung empfiehlt eine "gemäßigte Kleinschreibung" - die Reform scheitert; Hauptgegner der Reform in der BRD und in der Schweiz)

1957 16. Aufl. des "Siebs" u. d. T. "Deutsche Hochsprache"

1964 Hans Krech u.a., "Wörterbuch der deutschen Aussprache", Leipzig 1964
('Gegen-Siebs' der DDR auf breiter sprachsoziologischer Basis)

Gegenwart

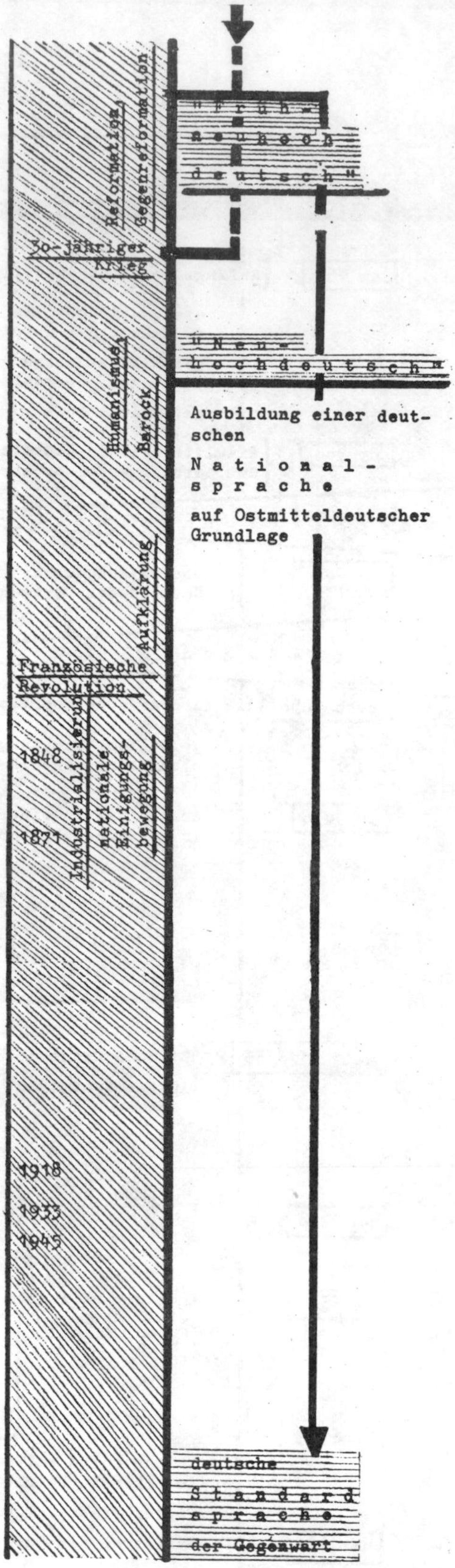

Reformation
Gegenreformation
30-jähriger Krieg
Humanismus
Barock
Aufklärung
Französische Revolution
Industrialisierung
nationale Einigungsbewegung
1848
1871
1918
1933
1945

"Frühneuhochdeutsch"

"Neuhochdeutsch"

Ausbildung einer deutschen Nationalsprache auf Ostmitteldeutscher Grundlage

deutsche Standardsprache der Gegenwart

Älteste Schicht lateinischer Lehnwörter im Englischen und Deutschen

	lateinisch	altenglisch	neuenglisch	althochdeutsch	neuhochdeutsch	
"Mauer"	mūrus	mūr	--	mūra	Mauer	
"Kalk"	calx, calcis	cealk	chalk	kalch	Kalk	
"Ziegel"	tēgula	tigele	tile	ziagal, ziagala	Ziegel	
"Pfeiler"	pīlare	--	pillar	phīlāri	Pfeiler	
"Pfosten"	postis	post	post	phost	Pfosten	
"Schindel"	scindula	(mittelengl. scincle)	shingle	scintula	Schindel	
"heizbarer Raum"	*ex-tufa	stèfa	stove	stuba	Stube	vgl. it. stufa, frz. étuve "Badestube"
"Kammer"	camera	--	[chamber]	chamara	Kammer	
"Küche"	cocīna	cycene	kitchen	chuchina	Küche	
"Keller"	cellārium	--	[cellar]	kellāri	Keller	
"Speicher"	spīcārium	--	--	spīhhāri	Speicher	
"Fenster"	fenestra	--	--	fenstar	Fenster	
"Tisch"	discus	disc	dish	tisc	Tisch	lat. discus = "Schüssel"!
"Schemel"	scamellum	sceomul	--	scamal	Schemel	
"Wanne"	vannus	--	--	uuanna	Wanne	lat. vannus, ahd. wanna = "Futterschwinge" !
"Kübel"	cūpa	cyfel	--	(miluh-)chubilī	Kübel	lat. cūpa = "Faß" !
"Becher" (1)	cuppa	cuppe	cup	choph	(Kopf)	
(2)	bicārium	--	--	behhāri	Becher	
"Pfanne"	patina	ponne	pan	phanna	Pfanne	lat. patina = "Schüssel"
"Schüssel"	scutella	scutel	(shuttle)	scuzzila	Schüssel	lat. scutila = "Trinkschale" engl. shuttle = Weberschiffchen"
"Kessel"	catīnus	cytel	kettle	chezzil	Kessel	lat. catīnus = "Napf"
"Gabel"	forca	forc	fork	furcha	(Furke)	
"Flegel"	flagellum	fligel	flail	flegil	Flegel	
"Käse"	cāseus	cēse, cȳse	cheese	chāsi	Käse	
"Pfeffer"	piper	pipor	pepper	pheffar	Pfeffer	
"Essig"	acētum	aced	--	ezzīh	Essig	
"Pflanze"	planta	plant	plant	phlanza	Pflanze	
"Pflaume"	prūnum	plūme	plum	phrūma, phlūmo	Pflaume	
"Kirsche"	cerēsia	cirse	cherry	kirsa	Kirsche	
"Kohl"	caulis	cāwl	--	chōli, chōl	Kohl	
"Kürbis"	cucurbita	cyrfet	--	churbiz	Kürbis	
"Rettich"	rādix, -cis	rǣdic	radish	rātih	Rettich	
"Zwiebel"	unio	ynne	[onion]	unna	--	
"Kümmel"	cumīnum	--	[cumin]	chumil	Kümmel	
"Kerbel"	cærefolium	cerfille	chervil	chervila	Kerbel	
"Minze"	menta	minte	mint	minza	Minze	
"Wein"	vīnum	uuīn	wine	uuīn	Wein	
"Most"	mustum	must	must	most	Most	
"Kaufmann"	caupo	cēapman	chapman	koufo	Kaufmann	lat. caupo " "Schankwirt"
"Münze"	monēta	mynet	mint	munizza	Münze	
"Pfund"	pondo	pund	pound	phunt	Pfund	
(Hohlmaß)	sextārius	sester	--	sehstāri	--	

	lateinisch	altenglisch	neuenglisch	althochdeutsch	neuhochdeutsch	
"Straße"	strāta	strǣt	street	strāzza	Straße	
"Postpferd"	paraveredus	--	--	pharifrit, pharit	Pferd	
"Lasttier"	saumārius	sēamere	--	soumāri	(Säumer)	lat. sauma = "Packsattel"
"Zoll"	tolōnēum	toln, toll	toll	zol	Zoll	lat. tolōnēum = "Zollhaus"
"Kampf"	campus	comp	[camp]	champh	Kampf	lat. campus = "Schlachtfeld"
"Wall"	vallum	weall	wall	(mhd. wal)	Wall	
"Pfeil"	pīlum	pīl	--	phīl	Pfeil	
"Münster"	monisterium	mynster	minster	munistri	Münster	
"Mönch"	monicus	munuc	monk	munih	Mönch	
"opfern"	(1)operāri	--	--	opharōn	opfern	
	(2)offerre	offrian	to offer	--	--	
"spenden"	ex-pendere	spendan	to spend	spentōn	spenden	lat. ex-pendere = "aus-wägen, bezahlen"
"segnen"	signāre	segnian	to sign	seganōn	segnen	lat. signāre = "das Zeichen (signum) des Kreuzes machen"
"Kelch"	calix, calicis	celc	[chalice]	chelich	Kelch	
"Kirche"	(cyrica)	cirice	church	chirihha	Kirche	gr. kyrikōn, kyriakē
"Bischof"	(episcopus)	bisceop	bishop	biscof	Bischof	gr. epískopos
"Pfaffe"	(papa)	--	--	phaffo	Pfaffe	gr. papâs
"Engel"	(angelus)	engel	angel	angil	Engel	gr. ággelos
"Teufel"	(diabolus)	dēofol	devil	tiufal	Teufel	gr. diábolos
"Pfingsten"	(pentēcostē)	pentecosten	--	fimfchustim	Pfingsten	gr. pentekostē
"Elefant"	elephantus	elpend, ylpend	[elephant]	elphant, elafant	Elefant	
"Strauß"	strūthio	strȳta	--	strūz	Strauß	
"Pfau"	pāvo	pāwa	pea(cock)	phāwo	Pfau	
"Greif"	grȳphus	--	--	grīffo, grīf	Greif	
"Drache"	draco	draca	[dragon]	trahho	Drache	
"Kupfer"	cuprum	copor	copper	chuphar	Kupfer	
"Pfeife"	*pīpa	pīpe	pipe	phīffa	Pfeife	lat. pīpare = "pfeifen"
"Fieber"	febris	fēfor	fever	fiabar	Fieber	

Eine jüngere Schicht lateinischer Lehnwörter im Deutschen

	lateinisch	althochdeutsch	neuhochdeutsch
"Abt"	abbās, -ātis	abbāt	Abt
"Abtei"	abbātīa	abbateia	Abtei
"Klause"	clūsa	klūsa	Klause
"Kloster"	claustrum	klōstar	Kloster
"Zelle"	cella	cella	Zelle
"Nonne"	nonna	nunna	Nonne
"Laie"	lāicus	leigo	Laie
"Kreuz"	crūx, crūcis	krūzi	Kreuz
"Kapelle"	capella	kapella	Kapelle
"Chor"	chorus	chōr	Chor
"Kanzel"	cancellī (Pl.) = "Chorschranken"	kancella	Kanzel
"Glocke"	clocca (ir.)	klocka, glocka	Glocke
"Becken"	baccīnum	beckin	Becken
"Messe"	missa	messa	Messe
"Mette"	mātūtīnae	mattīna, mettīna	Mette
"Vesper"	vespera	vespera	Vesper
"predigen"	praedicāre	predigōn, bredigōn	predigen
"verdammen"	damnāre	(fir)damnōn	(ver)dammen
"Pilger"	peregrīnus	piligrīm	Pilgrim, Pilger
"keusch"	cō(m)scius	kūsci	keusch
"Vogt"	(ad)vocātus	fogat	Vogt
"Zins"	cēnsus	zins	Zins
"Meier"	maior (domūs)	meior	Meier
"Lilie"	līlium	lilia	Lilie
"Rose"	rosa	rōsa	Rose
"Veilchen"	viola	fīola	Veil(chen), Veigel
"Birne"	pirum	pira, bira	Birne
"Zwiebel"	cēpulla	cibolla, zwibolla	Zwiebel

	lateinisch	althochdeutsch	neuhochdeutsch
"schreiben"	scrībere	scrīban	schreiben
"dichten"	dictāre	tihtōn	tichten, dichten
"Tafel"	tabula	tabala, tavala	Tafel
"Tinte"	(aqua) tīncta	tincta	Tinte
"Zinnober"	minium	minig	Mennig(e)
"Brief"	(littera) brevis	briaf	Brief
"Siegel"	sigillum + īnsīgne	-- insigili	Siegel --
"Lehrer"	magister	meistar	Meister
"Schüler"	scōlārius	scuolāri	Schüler
"Vers"	versus	fers, vers	Vers
"Mörtel"	mortārium	mortāri (mhd. morter, mortel)	Mörtel
"Marmor"	marmor	marmul	Marmel(stein)
"Estrich"	astricus	astrīh	Estrich
"Teppich"	tapētum	tep(p)īd, tep(p)īh	Teppich
"Mantel"	mantellum	mantal	Mantel
"Pelzrock"	pellīcia (vestis)	pellīz	Pelz
"Semmel"	simila = "Gebäck aus Feinmehl"	semala	Semmel
"Brezel"	brachiatellum = "Gebäck in Gestalt verschlungener Arme (brachia)"	brezitella, u.a.	Brezel
"Schuhflicker"	sūtor	(schuoh)sūtāri	Schuster
"Schuhsohle"	sola, solea	sola	Sohle
"Sarg"	*sarcus (zu sarcophagus)	sarc	Sarg
"Perle"	pirula ("kleine Birne")	perala	Perle
"Fiedel"	vitula	fidula	Fiedel

Französische Lehnwörter im Mittelhochdeutschen

altfranzösisch	mittelhochdeutsch	neuhochdeutsch	
pancier	panzier, panzer	Panzer	
collier	kollier, gollier	Koller	
harnais, harnas	harnas, harnasch	Harnisch	
plate	plate, blate	Platte	
visiere	visier	Visier	
bocle, boucle	buckel	(Schild)buckel	
lance	lanze	Lanze	
estendart	standart, standhart	Standarte	
baniere	baniere, banier, baner	Banner	
buisine	busîne, busûne	Posaune	
sénéchal	seneschal(t)	Seneschall	germ. Urprungs
commendeor	kommentiur	Komtur	
compaign	kompân, kumpân	Kumpan	
compaignie	kompânîe, kumpânîe	Kompanie	
rote	rote	Rotte	
solde	solt	Sold	
palais	palas(t)	Palast	jüngere Entlehnung: nhd. Palais
arquiere	ärkêr, erkære	Erker	
torn	torn, turn (mitteldt. torm, turm)	Turm	
tournei, tournoi	tornei, turnei, turnoi	Turnier	
torneier	turneier, turnier	Turnier	
plane, plaine	plân		"Turnierplatz"
bouhourt	bûhurt		"Ritterspiel, Schar gegen Schar"
jouste	tjoste, tjuste; joste, juste		"ritterlicher Zweikampf"
galoper	galopieren	galoppieren	
heurt	hurte	(hurtig)	"Aufprallen"
berser	birsen, pirsen	pirschen	
forest	foreis(t), fores(t)	Forst	
cople, couple	kop(p)el, kup(p)el	(Hunde)koppel	
flaüte	vloite, vlöute	Flöte	
chalemie	schalmîe	Schalmei	
danse	tanz	Tanz	
place	plaz, platz	(Tanz)platz	
roc	(schâch)roch		"Turm im Schachspiel"
mat	mat	matt	
fals	vals, valsch	falsch	
fin	vîn	fein	
claire	klâr	klar	
aventure	âventiure	Abenteuer	
tableronde	tavelrunde	Tafelrunde	
maniere	maniere	Manier	

T e x t e

M a t t h ä u s 6 , v . 9 - 1 3

L A T E I N I S C H
(Vulgata)

Pater noster qui es in celis. Sanctificetur nomen tuum. Adveniat regnum tuum. Fiat voluntas tua sicut in celo et in terra. Panem nostrum cotidianum (supersubstantialem) da nobis hodie. Et dimitte nobis debita nostra, sicut et nos dimittimus debitoribus nostris. Et ne nos inducas in temptationem. Sed libera nos a malo. Amen.

G O T I S C H
(Wulfila, Ende 4. Jh.)

Atta unsar þu in himinam, weihnai namo þein. qimai þiudinassus þeins. waírþai wilja þeins, swe in himina jah ana aírþai. hlaif unsarana þana sinteinan gif uns himma daga. jah aflet uns þatei skulans sijaima, swaswe jah weis afletam þaim skulam unsaraim. jah ni briggais uns in fraistubnjai, ak lausei uns af þamma ubilin; ... . amen.

𐌰𐍄𐍄𐌰
𐌿𐌽𐍃𐌰𐍂 𐌸𐌿 𐌹̈𐌽 𐌷𐌹𐌼𐌹𐌽𐌰𐌼: 𐍅𐌴𐌹𐌷𐌽𐌰𐌹
𐌽𐌰𐌼𐍉 𐌸𐌴𐌹𐌽:
𐌵𐌹𐌼𐌰𐌹 𐌸𐌹𐌿𐌳𐌹𐌽𐌰𐍃𐍃𐌿𐍃 𐌸𐌴𐌹𐌽𐍃:
𐍅𐌰𐌹𐍂𐌸𐌰𐌹 𐍅𐌹𐌻𐌾𐌰 𐌸𐌴𐌹𐌽𐍃· 𐍃𐍅𐌴 𐌹̈𐌽
𐌷𐌹𐌼𐌹𐌽𐌰 𐌾𐌰𐌷 𐌰𐌽𐌰 𐌰𐌹𐍂𐌸𐌰𐌹:
𐌷𐌻𐌰𐌹𐍆 𐌿𐌽𐍃𐌰𐍂𐌰𐌽𐌰 𐌸𐌰𐌽𐌰
𐍃𐌹𐌽𐍄𐌴𐌹𐌽𐌰𐌽 𐌲𐌹𐍆 𐌿𐌽𐍃 𐌷𐌹𐌼𐌼𐌰 𐌳𐌰𐌲𐌰:
𐌾𐌰𐌷 𐌰𐍆𐌻𐌴𐍄 𐌿𐌽𐍃 𐌸𐌰𐍄𐌴𐌹 𐍃𐌺𐌿-
𐌻𐌰𐌽𐍃 𐍃𐌹𐌾𐌰𐌹𐌼𐌰· 𐍃𐍅𐌰 𐍃𐍅𐌴 𐌾𐌰𐌷
𐍅𐌴𐌹𐍃 𐌰𐍆𐌻𐌴𐍄𐌰𐌼 𐌸𐌰𐌹𐌼 𐍃𐌺𐌿𐌻𐌰𐌼
𐌿𐌽𐍃𐌰𐍂𐌰𐌹𐌼:
𐌾𐌰𐌷 𐌽𐌹 𐌱𐍂𐌹𐌲𐌲𐌰𐌹𐍃 𐌿𐌽𐍃 𐌹̈𐌽
𐍆𐍂𐌰𐌹𐍃𐍄𐌿𐌱𐌽𐌾𐌰𐌹: 𐌰𐌺 𐌻𐌰𐌿𐍃𐌴𐌹 𐌿𐌽𐍃
𐌰𐍆 𐌸𐌰𐌼𐌼𐌰 𐌿𐌱𐌹𐌻𐌹𐌽: 𐌰𐌼𐌴𐌽:

A L T E N G L I S C H
(A N G E L S Ä C H S I S C H)
(westsächsisch, ca. 1000)

Ūre faeder, þū ðe on heofone eart, sī þīn nama gehālgod; tōcume þīn rice. Gewurðe ðīn willa on heofone and on eorþan. Syle ūs tō-daeg ūrne daeg-hwāmlican hlāf, and forgyf ūs ūre gyltas, swā wē forgyfað āelcum þāra þe wið ūs āgyltað; and ne lāed ūs on costunge, ac ālȳs ūs fram yfele.

M I T T E L E N G L I S C H
(Dan Michel of Northgate, 1340)

Vader oure þet art ine heuenes / y-halged sy þi name. comende þi riche. y-worþe þi wil / as in heuene; and ine erþe. bread oure echedayes : yef ous to day. and uorlet ous oure yeldinges : ase and we uor-leteþ oure yelderes. and ne ous led nagt : in-to uondinge. ac vri ous vram queade. zuo by hit.

N E U E N G L I S C H
(1611)

Our father who art in heaven, Hallowed be thy name. Thy Kingdom come. Thy will be done, On earth as it is in heaven. Give us this day our daily bread; And forgive us our debts, As we also have forgiven our debtors; And lead us not into temptation, But deliver us from evil.

(1966)

Our Father in heaven, may your name be held holy, your kingdome come, your will be done, on earth as in heaven. Give us today our daily bread. And forgive us our debts, as we have forgiven those who are in debt to us. And do not put us to the test, but save us from the evil one.

A L T N I E D E R D E U T S C H
(A L T S Ä C H S I S C H)
("Heliand", um 840)

Fadar ūsa firiho barno,
thu bist an them hôhon himila rîkea,
Geuuîhid sî thîn namo uuordo gehuuilico.
Cuma thîn craftag rîki.
Uuerða thîn uuilleo obar thesa uuerold alla,
sô sama an erðo, sô thar uppa ist
an them hôhon himilo rîkea.
Gef ûs dago gehuuilikes râd, drohtin the gôdo,
thîna hêlaga helpa, endi alât ûs, hebenes uuard,
managoro mênsculdio, al sô uue ôðrum mannum dôan.
Ne lât ûs farlêdean lêða uuihti
so forð an iro uuilleon, sô uui uuirðige sind,
ac help ûs uuiðar allun ubilon dâdiun.

A L T H O C H D E U T S C H

a l e m a n n i s c h
(St. Gallen, 8. Jh.)

Fater unseer, thū pist in himile, uuīhi namun dīnan, qhueme rīhhi dīn, uuerde uuillo diin, sō in himile sōsa in erdu. prooth unseer emezzihic kip uns hiutu, oblāz uns sculdi unseero, so uuir oblāzēm uns sculdikēm, enti ni unsih firleiti in khorunka, ūzzer lōsi unsih fona ubile.

b a i r i s c h
(Freising, 9. Jh.)

Fater unsēr, dū pist in himilum. Kauuīhit sī namo dīn, piqhueme rīhhi dīn. Uuesa dīn uuillo, sama sō in himile est, sama in erdu. Pilipi unsraz emizzigaz kip uns eogauuanna. Enti flāz uns unsro sculdi, sama sō uuir flazzamēs unsrēm scolōm. Enti ni princ unsih in chorunka. Ūzzan kaneri unsih fona allēm suntōn.

s ü d r h e i n f r ä n k i s c h
(Weißenburg, 9. Jh.)

Fater unsēr, thū in himilom bist, giuuīhit sī namo thīn. quaeme rīchi thīn. uuerdhe uuilleo thīn, sama sō in himile endi in erthu. Broot unseraz emezzīgaz gib uns hiutu. endi farlāz uns sculdhi unsero sama sō uuir farlāzzēm scolōm unserēm. endi ni gileidi unsih in costunga. auh arlōsi unsih fona ubile.

s ü d r h e i n f r ä n k i s c h
(Evangelienharmonie
Otfrids von Weißenburg, um 87o)

Fáter unser gúato, bis drúhtin thu gimýato
in hímilon io hóher, wíh si námo thiner.
Biquéme uns thinaz ríchi, thaz hoha hímilrichi,
thára wir zua io gíngen joh émmizigen thíngen.
Si wíllo thin hiar nídare, sos ér ist ufin hímile;
in érdu hilf uns híare, so thu éngilon duist nu thare.
Thia dágalichun zúhti gib híut uns mit ginúhti,
joh fóllon ouh, theist méra, thínes selbes lera.
Scúld bilaz uns állen, so wír ouh duan wóllen,
súnta thia wir thénken joh émmizigen wirken.
Ni firláze unsih thin wára in thes wídarwerten fára,
thaz wír ni missigángen, thara ána ni gifállen.
Lósi unsih io thánana, thaz wir sin thíne thegana,
joh mit ginádon thinen then wéwon io bimíden. Amen.

o s t f r ä n k i s c h
(althochdeutscher 'Tatian',
Fulda, 9. Jh.)

Fater unser, thū thār bist in himile, sī giheilagōt thīn namo, queme thīn rīhhi, sī thīn uuillo, sō her in himile ist, sō sī her in erdu, unsar brōt tagalīhhaz gib uns hiutu, inti furlāz uns unsara sculdi, sō uuir furlāzemēs unsarēn sculdigōn, inti ni gileitēst unsih in costunga, ūzouh arlōsi unsih fon ubile.

S P Ä T A L T H O C H D E U T S C H

(**a l e m a n n i s c h** ;
Notker der Deutsche, St. Gallen, um 1ooo)

Fáter unser dû in himile bist, dîn námo werde geheiligot. Dîn rîche chome, dîn wíllo gescéhe in erdo, álsô in hímile. Unser tágelîcha brôt kib uns híuto unde únsere scúlde belâz úns, álsô óuh wir belâzen unserên scúldîgên. Unde in chórunga ne léitêst dû únsih. Núbe lôse únsih fóne úbile.

M I T T E L H O C H D E U T S C H

(Reimar von Zweter, 13. Jh.)

Got vater unser, dâ du bist
in dem himelrîche gewaltic alles des dir ist,
geheiliget sô werde dîn nam, zuo müeze uns komen daz rîche dîn.
Dîn wille werde dem gelîch
hie ûf der erde als in den himeln, des gewer unsich,
nu gip uns unser tegelîch brôt und swes wir darnâch dürftic sîn.
Vergip uns allen sament unser schulde,
also du wilt, daz wir durch dîne hulde
vergeben, der wir ie genâmen
dekeinen schaden, swie grôz er sî:
vor sünden kor sô mache uns vrî
und loese uns ouch von allem übele. amen.

(Kölner Leben Jesu, Ende 13. Jh.)

vater v́nser der da bist in den himeln, geheiliget wert din name, zv̊ kom din rich, din wille gewerde in der erden als in dem himle. v́nser tegelich brot gib vns hv́te. vnd vergib v́ns v́nser schulde, als wir vergeben v́nseren schvlderen, vnd enleite v́ns nit in bekorvnge, svnder verlôse v́ns von v́bele. amen.

FRÜHNEUHOCHDEUTSCH

(Mentel, 1466)

Vatter vnser du do bist in den himeln gehailiget werd dein nam / Zů kum dein reich. Dein wil der werde : als im himel vnd in der erde. Vnser teglich brot gib vns heut. Vnd vergib vns vnser schult : als vnd wir vergeben vnsern schuldigern. Vnd fur vns nit in versůchung : sunder erloͦß vns von den vbeln. amen.

(Luther, 1522)

Vnser vater yn dem hymel. Deyn name sey heylig. Deyn reych kome. Deyn wille geschehe auff erde wie ynn dem hymel. Vnser teglich brott gib vnns heutt / vnd vergib vns vnsere schulde / wie wyr vnsernn schuldigern vergeben / vnnd fure vns nitt ynn versuchung / sondern erlose vns von dem vbel.

(Luther, 1545)

VNser Vater in dem Himel. Dein Name werde geheiliget. Dein Reich kome. Dein Wille geschehe / auff Erden / wie im Himel. Vnser teglich Brot gib vns heute. Vnd vergib vns vnsere Schulde / wie wir vnsern Schüldigern vergeben. Vnd füre vns nicht in Versuchung. Sondern erlöse vns von dem Vbel.

NEUHOCHDEUTSCH

(revidierte Zürcher Bibel, 1907-31)

Unser Vater, der du bist in den Himmeln, dein Name werde geheiligt. Dein Reich komme. Dein Wille geschehe wie im Himmel, so auch auf Erden. Gib uns heute unser tägliches Brot. Und vergib uns unsre Schulden, wie auch wir vergeben haben unsern Schuldnern. Und führe uns nicht in Versuchung, sondern erlöse uns von dem Bösen.

<u>Anhang:</u>

Beispiel eines jiddischen Textes

Farcátige ḫăsidem hoben gewist weir Ḫajem-Joineh Witels iz gewein. Es iz genig ci zugen: dem altens ba^{n}l-tefileh. Kidia, hot men ništ azoj lácht cigelozt bám alten cim umed, bifrat roš-hašuneh in jom-kipăr. In Ḫajem-Joineh Witels hot taqe gedawent jumem-noiruwem in er iz es weirt gewein. A jid a lamden, benigleh in benistar, obar gur a šarfăr lamden in a jere-šumajem - an eimes upgehitenăr jid, afile noch a jingăr man, nor di ta^{n}naisem mit di segufem, wus er hot dirchgemacht, welten genig gewein far cen minjunem ... In iwre hot er gezugt! Farštait zich, ništ ouf'n ḫasidišen oifen, nor azoj iwre, a hitech-hadiber! A wort falt wi a peirel fin moul, in a qol hot er gehot - riboine-šeil-oilem, men zeit gur hánt azoine ba^{n}le-tefiles ništ.

"Die Frommen (h. ḫasidīm) früherer Zeiten wußten, wer Ḫajem-Joineh (h. Ḫajim-Jōnāh) Witels war. Es genügt zu sagen: der Vorbeter (h. baᶜal-təfilāh) des Alten. Wie man weiß (h. kīdūaᶜ), wurde man beim Alten nicht so leicht zugelassen zum Gebetspult (h. ᶜāmūd), besonders (h. bifraṭ) am Neujahrsfest (h. ro'š-haššānāh) und Versöhnungstag (h. jōm-kippūr). Und Ḫajem-Joineh Witels hat tatsächlich (taqe) an den ehrwürdigen Tagen (h. jāmīm-nōrā'īm) gebetet, und er war es wert. Ein jüdischer Gelehrter (h. lamdān), in der offenen Lehre (h. bəniglęh) und in der geheimen Lehre (h. bənistar), und zwar ein grundgelehrter Mann und ein gottesfürchtiger Mann (h. jəre'-šāmajim) - ein wahrhaftig (h. 'emet) achtsamer Jude, zwar (h. 'ăfilō) noch ein junger Mann, aber die Fasten (h. taᶜănītīm) zusammen mit den Kasteiungen (h. siggūfīm), denen er sich unterzogen hat, wären genug gewesen für zehnmal zehn Männer (h. minjānīm) ... Und Hebräisch (h. ᶜibrī) hat er gesprochen! Natürlich nicht in der Art und Weise (h. 'ōfęn) der Ḫasidīm, sondern eben Hebräisch, eine wohlgegliederte Sprache (h. ḫittūch-haddibbūr)! Jedes Wort fällt wie eine Perle aus seinem Mund, und eine Stimme (h. qōl) hat er gehabt - du lieber Gott (h. ribbōnō-šęl-ᶜōlām), heute sieht man solche Vorbeter (h. baᶜălej-təfilōt) gar nicht mehr."

(Aus: Jicḫoq Laib Peirec, Die Buße)

E x k u r s :

Z u r   G e s c h i c h t e   d e r   S c h r i f t

Quellen:

FÖLDES-PAPP, Károly: Vom Felsbild zum Alphabet. Die Geschichte der Schrift von ihren frühesten Vorstufen bis zur modernen lateinischen Schreibschrift. Stuttgart, 1966.

dtv-Lexikon Die Bibel und ihre Welt. Eine Enzyklopädie. Hrsg. von Gaalyahu CORNFELD und G. Johannes BOTTERWECK. München, 1972. Bd 1, S.57-77, s. v. Alphabet und Schrift.

dtv-Lexikon der Antike. Philosophie - Literatur - Wissenschaft. München, 197o. Bd 4, S.164-172, s. v. Schrift.

ARNTZ, Helmut: Handbuch der Runenkunde. Halle/Saale, 1935. [= Sammlung kurzer Grammatiken germanischer Dialekte. B. Ergänzungsreihe. Nr. 3.]

DÜWEL, Klaus: Runenkunde. Stuttgart, 1968. [= Sammlung Metzler, Bd 72.]

KRAUSE, Wolfgang: Runen. Berlin, 197o. [= Sammlung Göschen, Bd 1244/1244a.]

STURM, Heribert: Unsere Schrift. Einführung in die Entwicklung ihrer Stilformen. Neustadt an der Aisch, 1961.

CROUS, Ernst und Joachim KIRCHNER: Die gotischen Schriftarten. 2. Auflage. Braunschweig, 197o.

E n t w i c k e l u n g s s t u f e n   d e r   S c h r i f t :

1. Stufe: BILDERSCHRIFT; P i k t o g r a m m e

2. Stufe: Übergang von der reinen Bilderschrift zur BEGRIFFSSCHRIFT; aus den Piktogrammen werden I d e o - g r a m m e (L o g o g r a m m e) entwickelt.

Beispiele:

c h i n e s i s c h e   S c h r i f t :

	2. Jtsd. v. Chr.	1. Jtsd. v. Chr.	um Christi Geburt	seit dem 1. Jtsd.
rì "Sonne"			日	日
yuè "Mond"			月	月
mà "Pferd"			馬	馬

木 = mù "Baum"   木木 = lín "Wald"

女 = nǚ "Frau"
子 = zǐ "Kind"   } 好 = hǎo "gut"

Anfänge der K e i l s c h r i f t :

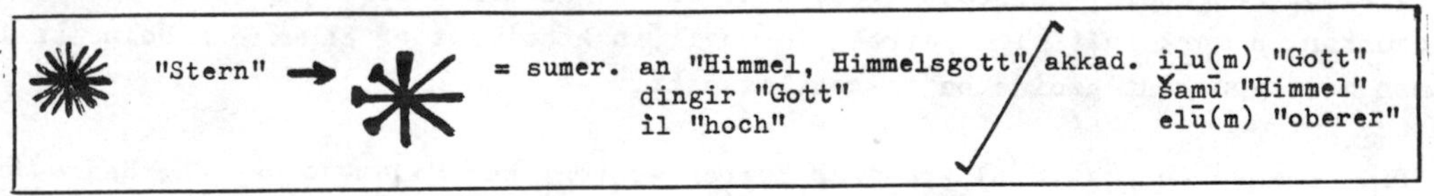

"Stern"
= sumer. an "Himmel, Himmelsgott"
dingir "Gott"
il "hoch"
akkad. ilu(m) "Gott"
šamū "Himmel"
elū(m) "oberer"

Anfänge der ä g y p t i s c h e n   H i e r o g l y p h e n s c h r i f t .

3. Stufe: Übergang von der Begriffsschrift zur SILBEN- und LAUTSCHRIFT; es entstehen S y l l a b o g r a m m e und P h o n o g r a m m e .

Ausgangspunkt der Entwicklung: H o m o n y m e n z e i c h e n .

Daneben Weiterverwendung der Ideogramme in der Funktion von D e t e r m i n a t i v e n .

K e i l s c h r i f t :

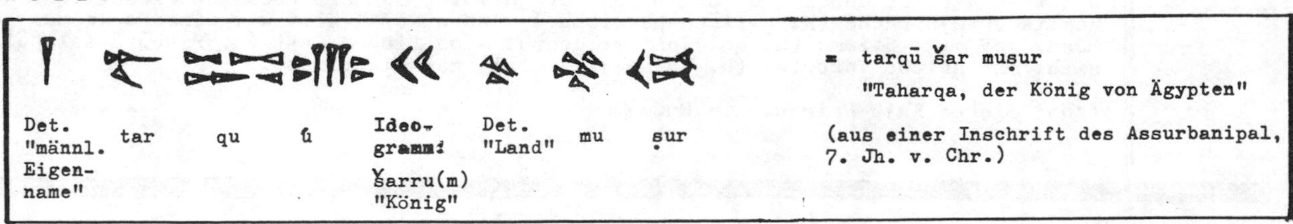

Ägyptische Hieroglyphenschrift:

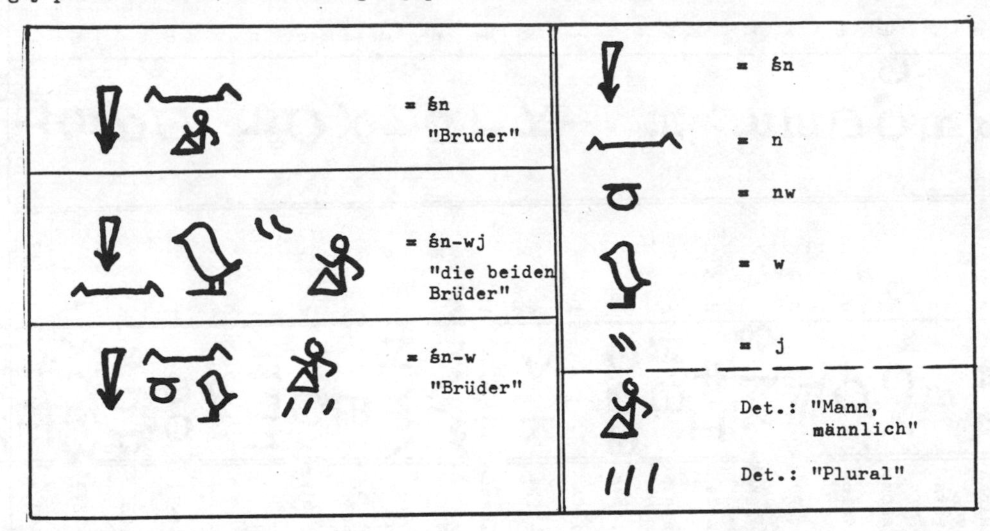

Dieselbe Entwicklung zeigt die kretische Schrift (Linear A, Linear B; letztere zur Aufzeichnung von Texten in mykenischem Griechisch).

4. Stufe: das KONSONANTENALPHABET.

[In der ägyptischen Hieroglyphenschrift neben Ideogrammen/Determinativen und Zwei- und Mehrkonsonantenzeichen Verwendung von 24 Einkonsonantenzeichen.]

Übergang zum reinen Konsonantenalphabet zuerst bei den nordsemitischen Stämmen (Phöniker, Hebräer):

nord(west)semitische Schrift:

22 Einkonsonantenzeichen. Älteste Zeugnisse aus der Mitte des 2. Jtsd.s v. Chr.

Mutmaßliche Quellen:

-- die ägyptische Hieroglyphenschrift; Zwischenstufe die Sinai-Inschriften aus der Mitte des 2. Jtsd.s.

  Hieroglyphische Ideogramme werden zunächst zur Wiedergabe der entsprechenden semitischen Wörter verwandt; das Alphabet entsteht durch feste Verknüpfung der Hieroglyphen mit den anlautenden Konsonanten der semitischen Wörter.

-- die kretische Linearschrift A (unsicher, da Linear A noch nicht entziffert).

5. Stufe: Ausbau der nord(west)semitischen (phönikischen) Schrift zum VOKAL- UND KONSONANTENALPHABET bei den Griechen.

Dabei werden z. T. phönikische Konsonantenzeichen, für die es im griechischen Phoneminventar keine Entsprechungen gibt, zu Vokalzeichen umfunktioniert; neue Zeichen, auch für charakteristische Konsonantengruppen (ks u.a.), werden durch Differenzierung semitischer Konsonantenzeichen geschaffen.

Genealogie der wichtigsten Alphabete des nord(west)semitischen Typs (stark vereinfacht):

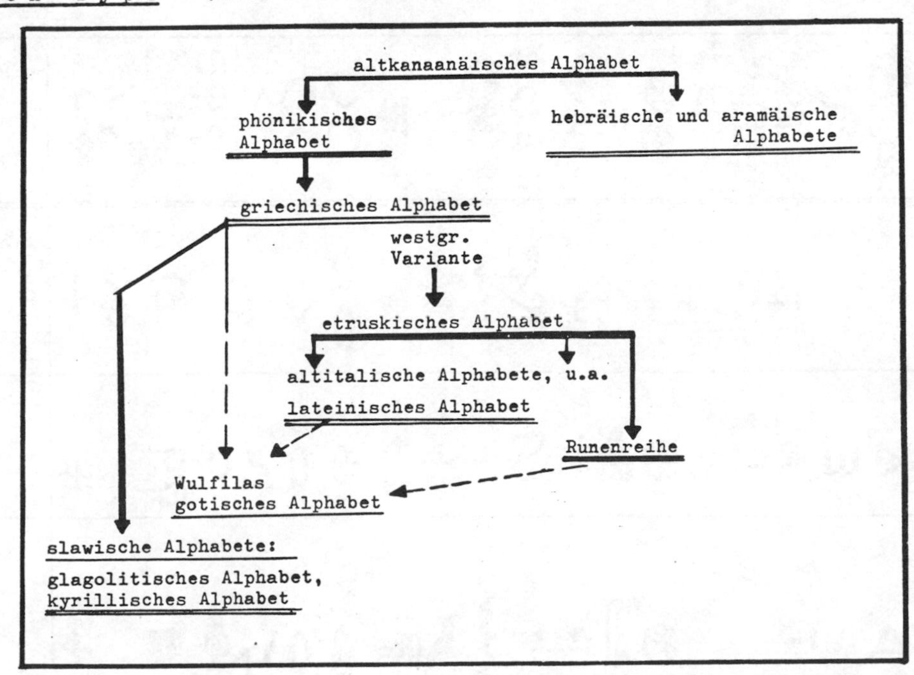

Entstehung und Entwicklung des Alphabets:

Vorstufen: ägyptische Hieroglyphen	Kretisch (Linear A)	Sinai-Inschriften	Nordsemitische Schriften: Phönikisch	Hebräisch "Quadratschrift"	Hebräisch "aschkenasische Kurrentschrift"	Lautwert	Name	Griechisch:	Lautwert	Name	Etruskisch:	Lautwert	Latein:	Lautwert
				א		ʾ	ʾálæf "Rind"	A	a, ā	alpha		a	A	a
				ב		b	bēth "Haus"	B	b	bēta		b	B	b
				ג		g	gímæl "Kamel"	Γ	g	gamma		k	C, G	k, g
				ד		d	dálæth "Türflügel"	Δ	d	delta		d	D	d
				ה		h	hē ?	E	e	e psilon		e	E	e
				ו		w	wāw "Nagel"	Ϝ	(w)	digamma		f	F	f
				ז		z	zájin "Waffe"	Z	dz, z	zēta		z		
				ח		ḥ	ḥēth "Zaun"	H	(h), ē	ēta		h	H	h
				ט		ṭ	ṭēth "Ballen"	Θ	th	thēta		th		
				י		j	jōd "Hand"	I	i, ī	iōta		i	I	i
				כ ך		k	kaf "Handfläche"	K	k	kappa		k	K	k
				ל		l	lámæd "Ochsenstachel"	Λ	l	lambda		l	L	l
				מ ם		m	mēm "Wasser"	M	m	my		m	M	m
				נ ן		n	nūn "Fisch" (nāhas "Schlange")	N	n	ny		n	N	n
				ס		s	sámekh "Baum"	Ξ	ks	ksi		ś	X	ks
				ע		ʿ	ʿajin "Auge"	O	o	o mikron		o	O	o
				פ ף		p	pē "Mund"	Π	p	pi		p	P	p
				צ ץ		ṣ	ṣādē "Fischerhaken"		(s)			ś		
				ק		q	qōf "Hinterkopf"	Ϙ	(q)	(qoppa)		q	Q	q
				ר		r	rēš "Kopf"	P	r	rhō		r	R	r
				ש		š, ś	šin śin "Zahn"	Σ	s	sigma		s	S	s
				ת		t	tāw "Kreuz"	T	t	tau		t, (s?)	T	t
								Υ	y, ȳ	y psilon		u	V U	u
								Φ	ph	phi		ph		
								X	kh	khi		kh		
								Ψ	ps	psi				
								Ω	ō	ō mega				

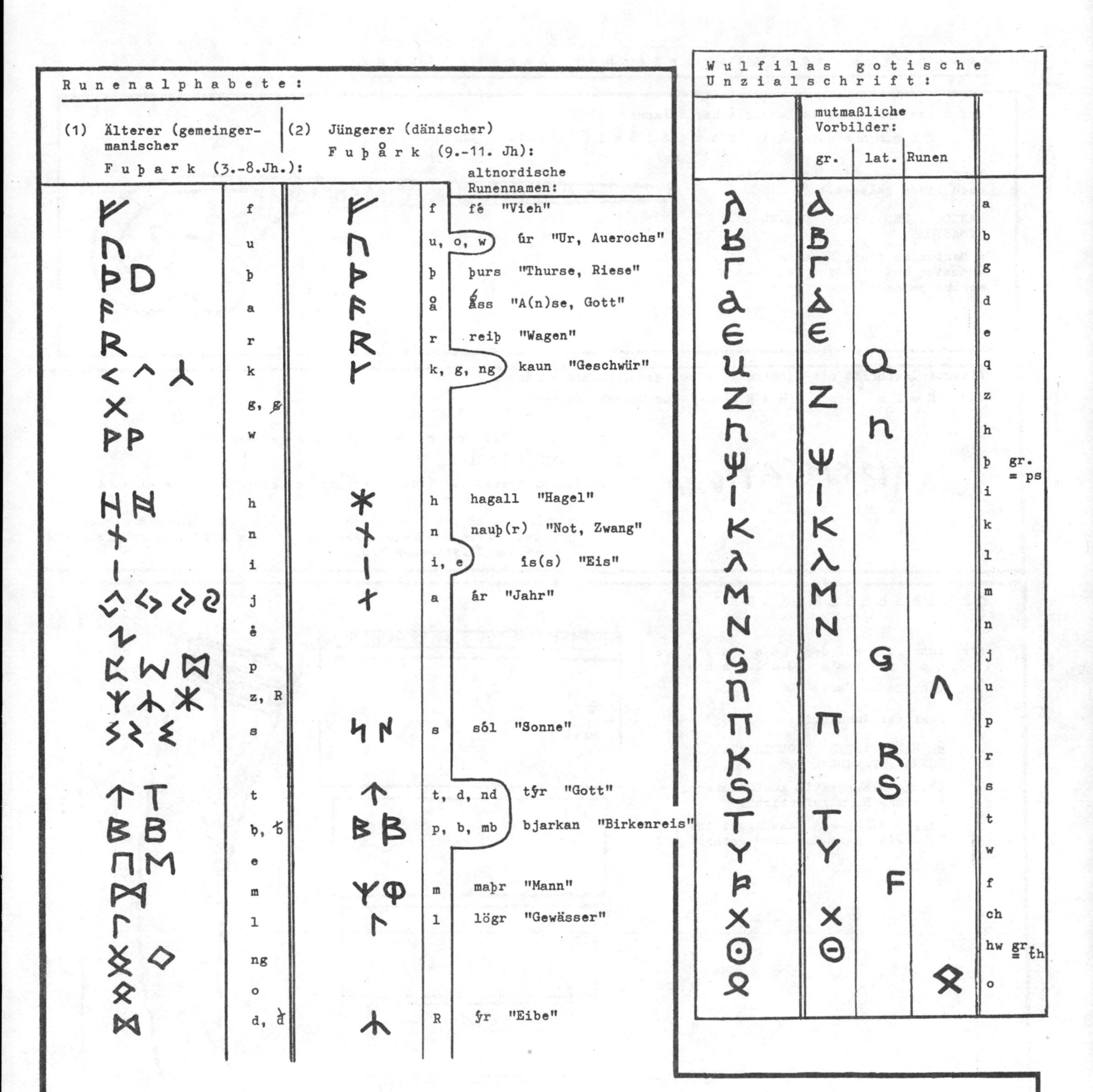

Runenalphabete:
(1) Älterer (gemeingermanischer
Fuþark (3.-8.Jh.):
f u þ a r k g, ǥ w h n i j ė p z, R s t ƀ, b e m l ng o d
(2) Jüngerer (dänischer)
Fuþårk (9.-11. Jh):
altnordische Runennamen:
f fé "Vieh"
u, o, w úr "Ur, Auerochs"
þ þurs "Thurse, Riese"
ås "A(n)se, Gott"
r reiþ "Wagen"
k, g, ng kaun "Geschwür"
h hagall "Hagel"
n nauþ(r) "Not, Zwang"
i, e ís(s) "Eis"
a ár "Jahr"
s sól "Sonne"
t, d, nd týr "Gott"
p, b, mb bjarkan "Birkenreis"
m maþr "Mann"
l lögr "Gewässer"
R ýr "Eibe"
Wulfilas gotische Unzialschrift:
mutmaßliche Vorbilder:
gr. lat. Runen
a b g d e q z h þ i k l m n j u p r s t w f ch hw o
gr. = ps
gr. = th

Zur Reihenfolge des älteren Fuþark:

(1) Ausgangsalphabet: a b d/þ e f z (k g w)
h i ė
l m n d o
p r s t u ;

(2) die Gruppen l m n d o und p r s t u werden umgestellt;

(3) die Neuschöpfungen j und ng werden nach i und n eingereiht;

(4) Vertauschung von R und r, b (ƀ!) und u (auch = w!) auf Grund der phonetischen Ähnlichkeit;

(5) Vertauschung von a und f auf Grund der Ähnlichkeit der Zeichen;

(6) auf Grund der Ähnlichkeit der Zeichen wird e vor m, l vor n, d nach ng, z später zwischen h - i eingereiht;

(7) endgültige Reihenfolge damit: f u þ a r k g w
h n i j ė p R s
t ƀ e m l ng o d.

Beispiele vorliterarischer Inschriften:

Das älteste Denkmal in lateinischer Sprache:
die **Praenestinische Fibel** (6. Jh. v. Chr.)

Text der Inschrift: (von rechts nach links gelesen):

MANIOS . MED . FHE . FHAKED . NVMASIOI

= Manius me fecit Numerio
("Manius hat mich für den Numerius gemacht")

Älteste Inschrift mit Wörtern in einer germanischen Mundart:
der **Helm von Negau** (um Christi Geburt)

Text der Inschrift (von rechts nach links gelesen):

HARIGASTITEI$^{W}_{F}$AIII IL

= Harigasti Teiwa ... ("dem Heergast Teiwaz"; *Teiwaz = altnord. Týr, ahd. Ziu)

oder: Harigasti Tei f(ilii) A III IL ("Eigentum des Harigastus, des Sohnes des Teius, Angehöriger des III. Reiterregiments an der Illyrischen Front")

Runeninschriften:

(1) Inschrift auf dem **Goldenen Horn von Gallehus**
(um 42o n. Chr.)

Text der Inschrift:

EK HLEWAGASTIZ . HOLTIJAZ . HORNA . TAWIDO

("Ich, Hlewagastiz aus Holstein, habe das Horn gefertigt";
oder: "Ich, ein Schutzgast in Holstein, habe das Horn gefertigt")

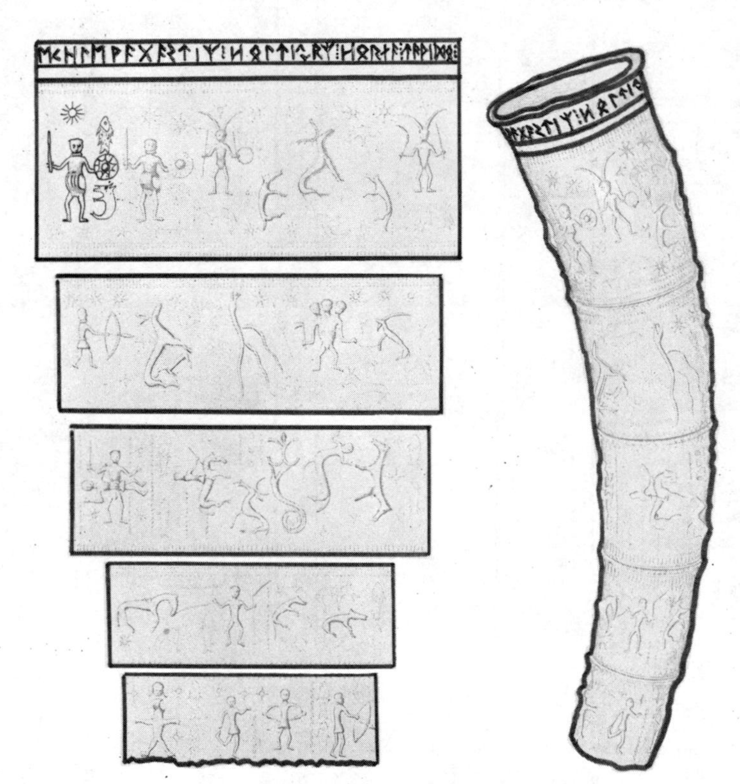

(2) Inschrift auf dem **Speerblatt von Wurmlingen**
(um 6oo n. Chr.)

Text der Inschrift:
... IDORIH

D·M·IVL·QVIETVS·VIV·FEC·
SIB·ET·VERATIAE
SEROTINAE·CONIVGI·ET

(1) Römische Kapitale

Gedenkstein aus Saaldorf bei Laufen

D(is) M(anibus) IVL(ius) QVIETVS VIV(us) FEC(it) / SIB(i) ET VERATIAE / SEROTINAE CONIVGI ET / ...

GRAECARUNTTOTUM
POPULUMETUISISUN
APUERISDAUIDDECEM
ETNOUEMPUERISETASA

(2) Römische Unziale (4.-8. Jh.)

Quedlinburger Itala-Fragment (4. Jh.)

[con]graecarunt totum / populum et uisi sun[t] / a pueris dauid decem / et nouem pueris et asa / ...

(3) Römische Halbunziale (4.-8. Jh.)

Hs. des frühen 6. Jh.s

Ergo populus isr[ae]l ita .../... per id quod nasci di[citur] .../... et fieri ex adopti[one] .../... generatione neq[u]e ...

(4) Karolingische Minuskel (8.-12. Jh.)

Anfang des Wessobrunner Schöpfungsgedichtes (Hs. des frühen 9. Jh.s)

Dat gafregin ih mit firahim / firi uuizzo meista . Dat ero ni uuas . noh ufhimil . noh paum / noh pereg ni uuas . ni nohheinig / noh sunna ni scein . noh mano / ...

✳ = angelsächs. hagal-Rune (?), Abkürzung für ga-

(5) Gotische Minuskel (11./12./13.-15. Jh.)

Tegernsser Hs. des ausgehenden 12. Jh.s

Du bist / min ih bin din . des solt du / gewis sin . du beslossen / in minem herzen . verlorn / ist daz sluzzellin . du mo̊st och immer dar inne sin ..

(6) Bastarda (13./14.-15. Jh.)

Theologischer Traktat aus der Karthause Buxheim (15. Jh.)

Gegrůsset syest du kungin můtte de barmhe tz / ikait das leben die siessikait vnd vnse hoffnūg / bisz gegrůsset .

Sunt iusti atq; sapientes: et opa eorū i manu dei. Et tamē nescit hō= mo utrū amore an odio dign⁹ sit: sed oīa i futurū svuāt incerta: eo q uniuer= sa eque eueniāt iusto ⁊ impio. bono ⁊

(7) Textura (14./15. Jh.)

Gutenbergbibel (1452/1455)

Aber Er ließ sich mercken nicht
Sprach ach herr mir ist mein gesicht
In solichem vall vergangen gar
Vor schreckhen das glaubt mir fürwar

(8) Fraktur (seit dem 16. Jh.)

"Theuerdank", gedruckt bei Johannes Schönsperger in Augsburg (1517)

EMIE DEBILE VOCE TALE O GRAtiose & diue Nymphe absone perueneráno & inconcine alla uostra benigna audiétia, quale laterrifica raucitate del urinante Esacho al suaue canto dela piangeuole Philomela. Nondimeno uolendo io cum tuti gli mei exili conati del intellecto,& cum la mia paucula sufficiétia di satisfare alle uostre piaceuole petitone, non ristaro al potere. Lequale semota qualúque hesitatione epse piu che si congruerebbe altronde,dignamente meritano piu uberrimo fluuio di

(9) Antiqua (seit der 2. Hälfte des 15. Jh.s)

Druck des Aldus Manutius in Venedig von 1499

TEIL II:

AUSGEWÄHLTE KAPITEL AUS DER HISTORISCHEN GRAMMATIK DES DEUTSCHEN

Historische Phonologie (1):

Vokalismus

Das indogermanische (vorgermanische) Vokalsystem:

kurze Vokale:	lange Vokale:	Diphthonge:
/i/ /u/	/ī/ /ū/	
/e/ /ə/ /o/	/ē/ /ō/	/ei/ /oi/ /eu/ /ou/
/a/	/ā/	/ai/ /au/

Dazu kommt die Gruppe der silbischen Nasale und Liquiden: /m̥/ /n̥/ /r̥/ /l̥/

Entwickelungen vom Indogermanischen (Vorgermanischen) zum Germanischen:

(1) Die idg. kurzen Vokale /a/ /o/ und /ə/ fallen in germ. /a/ zusammen:

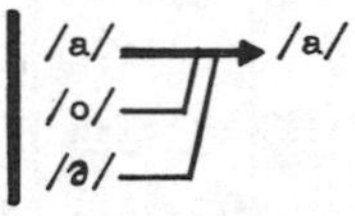

/a/ → /a/
/o/ → /a/
/ə/ → /a/

cf. idg.	*ag-ró-s	*ok-tṓ(u)	*pətḗr
[altind.	ajra-	astau	pitar-]
[gr.	agrós	oktṓ	patḗr]
[lat.	ager	octō	pater]
got.	akrs	ahtau	fadar
ahd.	ackar	ahto	fater
nhd.	Acker	acht	Vater

(2) Die idg. langen Vokale /ā/ und /ō/ fallen in germ. /ō/ zusammen:

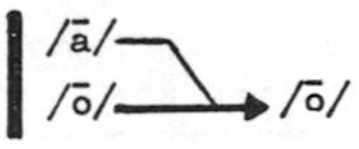

/ā/ → /ō/
/ō/ → /ō/

cf. idg.	*bhrātōr	[lat. frater]	- got. brōþar	(- nhd. Bruder)
idg.	*bhlō-	[lat. flōs, flōris]	- got. blōma	(- nhd. Blume)

(3) Die idg. Diphthonge /ai/ und /oi/ fallen in germ. /ai/, die idg. Diphthonge /au/ und /ou/ fallen in germ. /au/ zusammen:

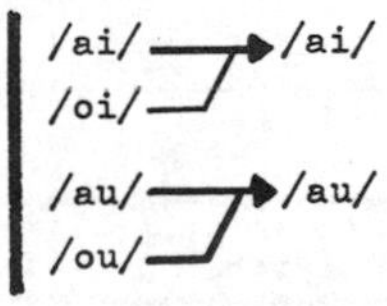

/ai/ → /ai/
/oi/ → /ai/

/au/ → /au/
/ou/ → /au/

cf. idg.	*ghaid-	[lat. haedus]	- got. gaits	- ahd. geiz	nhd. Geiß
idg.	*u̯oid-a	[gr. oĩda]	- got. wait	- ahd. weiz	nhd. (ich) weiß
idg.	*aug-	[lat. augēre]	- got. aukan		(cf. nhd. auch !)
idg.	*roudh-o-s	[lat. rūfus]	- got. rauþs		(cf. schwäb. raut gegenüber nhd. rot)

(4) Die Gruppe der silbischen Nasale und Liquiden wird im Germanischen beseitigt; die Phoneme /m̥/ /n̥/ /r̥/ /l̥/ werden in die Phonemfolgen /u + m/ /u + n/ /u + r/ /u + l/ aufgelöst:

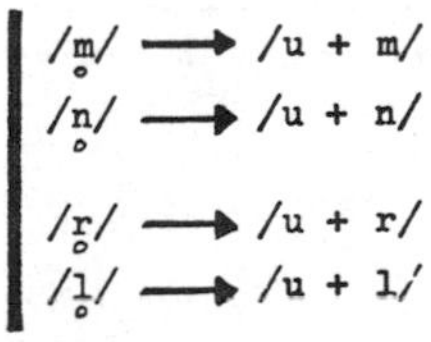

/m̥/ → /u + m/
/n̥/ → /u + n/
/r̥/ → /u + r/
/l̥/ → /u + l/

cf. idg.	*gᵘm̥-tí-s	*n̥-	*bhr̥-tí-s
[altind.	gati-	a-	bhr̥ti-
[gr.	básis	a-	
[lat.	-venti(ō)	in-	fors, fortis
got.	[ga]qumþs	un-	[ga]baúrþs
ahd.	cumft	un-	[gi]burt
nhd.	[An]kunft	un-	[Ge]burt

Das germanische Vokalsystem:

kurze Vokale:			lange Vokale:			Diphthonge:		
	/i/	/u/		/ī/	/ū/		/ei/	/eu/
	/e/	/a/		/ē/	/ō/		/ai/	/au/

Gemeingermanische und gemeinwestgermanische Entwicklungen:

(1) **A s s i m i l a t i o n s p r o z e s s e :**

-- **gemeingermanisch** Entwicklung des Diphthongs **/ei/ = /[e + i]/ zu /[i + i]/ , das mit /ī/ zusammenfällt:**

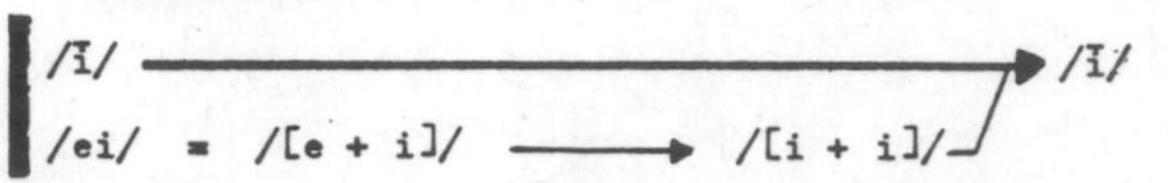

cf.			
idg.	*steigh-	*deik-	*sū-īno-s
[gr.	steichō	deiknȳmi	hȳnos
[lat.	—	deicō → dīcō	suīnus
got.	steigan	teihan	swein
ahd.	stīgan	zīhan	suuīn
(nhd.	steigen	zeihen	Schwein)

-- **westgermanischer i-Umlaut:**

Germ. /e/ = /[e]/ entwickelt westgermanisch vor [i, i̯; u] der folgenden Silbe sowie vor Nasal + Konsonant ein Allophon [i]:

/e/ = /[e]/ → /{[e] / ___ [a, e, o; -(N + K)] ; [i] / ___ [i, i̯; u; (N + K)]}/

cf.							
nhd.	geben	(schwäb. i gib gegenüber nhd. ich gebe)	du gibst	er gibt	sitzen	binden
mhd.	geben	ich gibe	du gibest	er gibet	sitzen	binden
ahd.	geban	gibu	gibis	gibit	sitzen	bintan
as.	geƀan	giƀu	giƀis	giƀid (-id)	sittian	bindan
germ.	*geƀana	*geƀō	*geƀiz (-is)	*geƀiđ (-iþ)	*setjana	*bendana

westgermanischer a-Umlaut (1):

Germ. /i/ = /[i]/ entwickelt westgermanisch vor [a, e, o] der folgenden Silbe - außer vor Nasal + Konsonant - ein Allophon [e]:

/i/ = /[i]/ → /{[i] / ___ [i, i̯; u; (N + K)] ; [e] / ___ [e, a, o; -(N + K)]}/

cf. idg. *ui̯-ro-s [lat. vir] - germ. *uiraz - as. wer - ahd. wer "Mann"; dazu nhd. Wer(geld), Wer(wolf)

Ausnahmen sind in der Regel systembedingt:

cf.							
nhd.	steigen	-	gestiegen	aber:	Steg		
mhd.	stīgen	-	gestigen		stec		
ahd.	stīgan	-	gistigan		steg		
germ.	*stīgana ← *steigana	-	*[ga]stiganaz		*stigaz		
nhd.	Leib - bleiben	-	geblieben	aber:	leben	-	Leber
mhd.	līp - [b(e)]līben	-	[b(e)]liben		leben	-	leber(e)
ahd.	līb - [bi]līban	-	[bi]liban		leben	-	lebra
germ.	*līƀaz ← *leiƀaz - *-līƀana ← *-leiƀana		*-liƀanaz		*liƀēna	-	*liƀrō

Dies bedeutet den tendenziellen Zusammenfall der germ. Phoneme /e/ und /i/ in den westgerm. Mundarten:

/e/, /i/ → /[e, i]/

Dieser Tendenz wirken allerdings die systembedingten Ausnahmen bei der Allophonbildung /i/ → [e] entgegen.

-- **westgermanischer a-Umlaut (2):**

Germ. /u/ = /[u]/ entwickelt westgermanisch vor [a, e, o] der folgenden Silbe - außer vor Nasal + Konsonant - ein Allophon [o]:

/u/ = /[u]/ → /{[u] / ___ [i, i̯; u; (N + K)] ; [o] / ___ [a, e, o; -(N + K)]}/

cf.						
nhd.	wir wurden	-	geworden	(wir sungen)	-	gesungen
mhd.	wir wurden	-	worden	wir sungen	-	gesungen
ahd.	wurtum	-	wortan	sungum	-	gisungan

-- Germ. /eu/ entwickelt westgermanisch die Allophone [eo] - vor [a, e, o] der folgenden Silbe - und [iu] - vor [i, j; u] der folgenden Silbe:

/eu/ ⟶ //{[eo] / ___ [a, e, o] ; [iu] / ___ [i, j; u]}//

cf. nhd.	bieten	-	altertüml. du beutst, er beut		
	kriechen fliegen	-	"Was da kreucht und fleugt" (Schiller)		
	gießen	-	"Ergeuß von Neuem, du mein Auge, Freudentränen" (Klopstock, Die Frühlingsfeier)		
mhd.	bieten	-	ich biute	du biutest	er biutet
ahd.	biotan	-	biutu	biutis	biutit
wg.	*beodan	-	*biudu	*biudis	*biudid (-iþ)
germ.	*beuđana	-	*beuđō	*beuđiz (-is)	*beuđiđ (-iþ)

(2) Das System der langen Vokale wird gemeingermanisch um ein Phonem /ē₂/ erweitert; /ē₂/ findet sich, von wenigen ererbten Wörtern (Beispiel 1) abgesehen , vor allem in Lehnwörtern (Beispiel 2) sowie in den neugebildeten Praeterita ehemals reduplizierender Verba in den west- und nordgerm. Mundarten (Beispiel 3):

cf. (1) germ. *hē₂r - altengl. hēr (neuengl. here) - ahd. hēr, hiar (nhd. hier)

(2) lat. febris - altengl. fēfor (neuengl. fever) - ahd. fēbar, fiabar (nhd. Fieber)

(3)				
	altengl.	hātan	-	hēt
	as.	hētan	-	hēt
	ahd.	heizzan	-	hēz, hiaz
	(nhd.	heißen	-	ich hieß)
	gegenüber			
	got.	haitan	-	hai-hait

Das auf idg. /ē/ zurückgehende germ. /ē/ (= /ē₁/) und das neue Phonem /ē₂/ werden in der Folge in den west- und nordgerm. Mundarten differenziert:

/ē₁/ ⟶ /ǣ/ oder /ā/
/ē₂/ ⟶ /ē/

cf. altengl.	slǣpan	-	slēp
as.	slāpan	-	slēp
ahd.	slāffan	-	slēf, sliaf
(nhd.	schlafen	-	ich schlief)
aus			
westgerm.	*slē₁pan	-	*slē₂p
gegenüber			
got.	slēpan	-	sai-slēp

(3) Die Phonemfolgen /a + n + h/ , /i + n + h/ , /u + n + h/ werden gemeingermanisch zunächst durch nasalierte Vokale realisiert - [ãh] , [ĩh], [ũh] - und fallen später, nach Verlust der Nasalierung, mit den Phonemfolgen /ā + h/ = /ē₁ + h/ , /ī + h/ , /ū + h/ zusammen (Nasalschwund vor /h/ , Ersatzdehnung)

cf. idg. *li-n-q^u- [lat. linquō] - germ. *linh^{u}ana /*līh^{u}ana - got. leihwan - ahd. līhan (nhd. leihen)

nhd.	bringen	-	brachte	denken	-	dachte	dünken	- däuchte
mhd.	bringen	-	brahte	denken	-	dahte	dunken	- duhte
ahd.	bringan	-	brāhta	denken	-	dāhta	dunken	- dūhta
engl.	to bring	-	brought		to think	- thought		
ae.	bringan	-	brohte	þencan	-	þohte	þyncan	- þūhte
germ.	*brengana	-	*brãhta ⟵ *branhta	*þankiana	-	*þãhta ⟵ *þanhta	*þunkiana	- *þũhta ⟵ *þunhta

D a s w e s t g e r m a n i s c h e (v o r d e u t s c h e) V o k a l s y s t e m :

kurze Vokale:		lange Vokale:		Diphthonge:
/[i] [u]/		/ī/	/ū/	/[iu] [eo]/
/[e] [o]/		/ē₂/ = /ē/	/ō/	
/a/		/ē₁/ = /ā/		/ai/ /au/

Entwickelungen vom Westgermanischen zum Althochdeutschen:

(1) Die auf Grund gemeingermanischer / gemeinwestgermanischer Assimilationsprozesse entstandenen Allophone der westgerm. Phoneme /[e, i]/ , /[o, u]/ , /[eo, iu]/ werden phonologisiert. Ursache: Abbau unbetonter Endsilben:

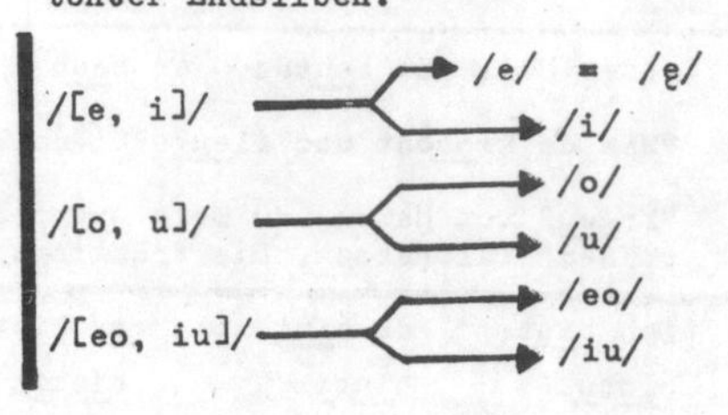

cf.					
ahd. bret	(nhd. Brett)	aus			*breda
ahd. trit	(nhd. Tritt)	aus	*tridi	für	*trediz
ahd. gold	(nhd. Gold)	aus	*golþa	für	*gulþa
ahd. scult	(nhd. Schuld)	aus			*skuldiz
ahd. teof	(nhd. tief)	aus	*deopa	für	*deupa
ahd. sliuf	(Imperativ zu sleopan "schlüpfen")	aus	*sliupi	für	*sleupi

(2) Die Kette der im Westgermanischen eingeleiteten A s s i m i l a t i o n s p r o z e s s e wird fortgesetzt:

-- althochdeutscher i-Umlaut:

Westgerm. /a/ entwickelt althochdeutsch ein Allophon [ẹ] vor [i, i̯] der folgenden Silbe. Dieses [ẹ] erscheint im ahd. Schriftbild in der Regel als ⟨e⟩ (Primärumlaut von germ. /a/ im Deutschen):

cf.								
nhd.	tragen	-	du trägst,	er trägt	setzen	der Gast	-	die Gäste
mhd.	tragen	-	du tregest,	er treget	setzen	der gast	-	die geste
ahd.	tragan	-	tregis,	tregit	sezzen	gast	-	gesti
got.	-dragan	-	dragis,	dragiþ	satjan	gasts	-	gasteis

Der Umlaut /a/ ⟶ [ẹ] tritt nicht ein vor /h + s/ , /h + t/ und einigen anderen Konsonantenverbindungen (Umlauthinderung).

Die Verwendung des Graphems ⟨e⟩ deutet darauf hin, daß der Primärumlaut von germ. /a/ im Althochdeutschen nicht mehr als Allophonbildung aufgefaßt wurde; die Graphie legt eher nahe, [ẹ] als Allophon des Phonems /e/ (/ę/) aufzufassen. Dies ist umso wahrscheinlicher, da /ę/ auf Grund des westgermanischen i- und a-Umlautes nur noch vor [a, e, o] der folgenden Silbe stand, während /a/ auf Grund der althochdeutschen Umlauthinderung auch im Althochdeutschen noch vor [i, i̯] der folgenden Silbe stehen konnte. Also:

/a/ ⟶ [a] ⟶ /a/
/a/ ⟶ [ẹ] ⟶ /[ẹ] [ę]/
/e/ ⟶ [ę] ⟶ /[ẹ] [ę]/

Wieweit die anderen i-Umlaute im Althochdeutschen phonetisch bereits vollzogen waren, ist umstritten (s. mittelhochdeutscher i-Umlaut).

-- althochdeutsche Monophthongierung:

8. Jh.

Die (west)germ. Diphthonge /ai/ und /au/ werden althochdeutsch in bestimmten Positionen zu /ē/ und /ō/ monophthongiert (reziproke Assimilation). Dabei tritt /ai/ ⟶ /ē/ vor (west)germ. /r, h, w/ ein, /au/ ⟶ /ō/ vor allen Dentalen und germ. /h/.

althochdeutscher Diphthongwandel (1):

8./9. Jh.

In allen anderen Fällen wird der erste Bestandteil der alten Diphthonge /ai/ und /au/ dem zweiten Bestandteil partiell angeglichen.

Damit ergibt sich die Entwickelung:

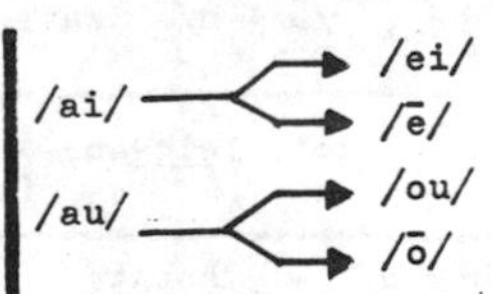

cf.			
	got. maiza	ahd. mēro	(nhd. mehr)
	got. rauþs	ahd. rōt	(nhd. rot)
	got. hauhs	ahd. hōh	(nhd. hoch, hoh-)

germ.	*greipana - *graip	*sleikana - *slaik	*teihana - *taih
ahd.	grīffan - greif	slīhhan - sleih	zīhan - zēh
mhd.	grīfan - greif	slīchen - sleih	zīhen - zēh
(nhd.	greifen - griff	schleichen - schlich	zeihen - zieh)
germ.	*beugana - *baug	*kreukana - *krauk	*teuhana - *tauh
ahd.	beogan - boug	kreohhan - krouh	zeohan - zōh
mhd.	biegen - bouc	kriechen - krouh	ziehen - zōh
(nhd.	biegen - bog	kriechen - kroch	ziehen - zog)

Daß es sich hier um Phonemspaltung, nicht um Allophonbildung handelt, bestätigen die Beispiele

ahd. sleih	"schlich"	-	zēh	"zieh"
ahd. krouh	"kroch"	-	zōh	"zog"

.

-- althochdeutscher Diphthongwandel (2):

Auch bei dem Diphthong /eo/ erfolgt im Althochdeutschen ein Diphthongwandel:

/eo/ ⟶ /io/

cf.	ahd. beogan ⟶ biogan	(nhd. biegen)
	beotan ⟶ biotan	(nhd. bieten)
	zeohan ⟶ ziohan	(nhd. ziehen)

-- althochdeutsche Diphthongierung:

9. Jh.

Die Entwicklung von (west)germ. /ai/ und /au/ zu ahd. /ē/ und /ō/ löst im Althochdeutschen einen Distanzierungsprozeß aus: westger. /ē/ (= germ. /$\bar{e}_2$/) und /ō/ werden diphthongiert:

/ē/ ⟶ /ea/ ⟶ /ia/ ⟶ /ie/
/ō/ ⟶ (/oa/ ⟶ /ua/) ⟶ /uo/

cf. altengl. hēr	- ahd. hēr, hear, hiar, hier
altengl. brōdor	- ahd. brōdar, bruodar

Das althochdeutsche Vokalsystem (Tatian):

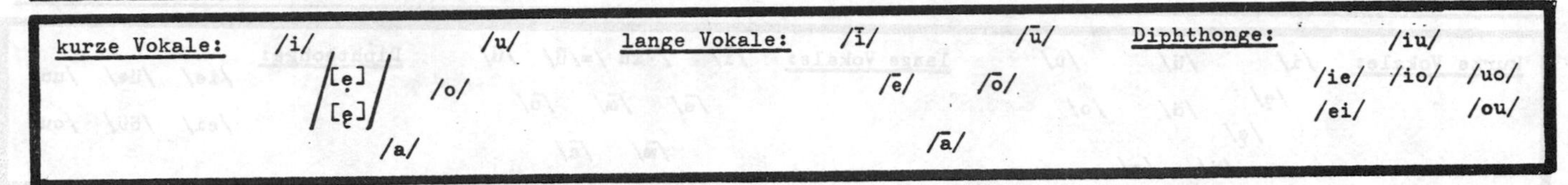

Entwickelungen vom Althochdeutschen zum Mittelhochdeutschen:

(1) Die Kette der Assimilationsprozesse wird fortgesetzt:

mittelhochdeutscher i-Umlaut:

Möglicherweise noch in ahd. Zeit haben alle velaren Vokale des ahd. Vokalsystems vor [i, j], eventuell auch vor [ẹ] (aus [ja]) palatale Allophone ausgebildet. Diese Allophone sind, wie auch [ẹ]. und [ę] im Mittelhochdeutschen durchweg phonologisiert. Ursache dieser Phonologisierung und der damit verbundenen Ausweitung des mhd. Vokalsystems ist die weitere Endsilbenabschwächung (Aufhebung aller Oppositionen zwischen Vokalen in Nebensilben, von einigen "schweren" Suffixen abgesehen).

Ahd. /a/ hat dabei im Mittelhochdeutschen den Umlaut /ä/ in den Fällen, wo der ahd. i-Umlaut verhindert war (z. B. vor /h + s/, /h + t/ usw.) (Sekundärumlaut von germ. /a/ im Deutschen).

Ein Umlaut von ahd. /o/, das ursprünglich nur vor [a, e, o] der folgenden Silbe stand (westgerm. a-Umlaut!), tritt auf Grund von Analogiebildungen auf.

Mit dem Umlaut von ahd. /ū/ ist der ahd. Diphthong /iu/ zusammengefallen; Graphem: ⟨iu⟩.

Im einzelnen gilt:

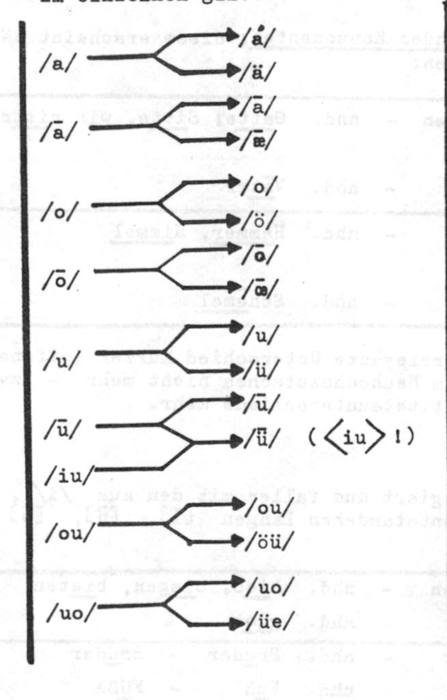

cf.				
nhd.	Macht - Mächte		wachsen	- du wächst, er wächst
mhd.	maht - mähte		wahsen	- du wähsest, er wähset
ahd.	maht - mahti		wahsan	- wahsis, wahsit
nhd.	Magd - Mägde		Pferd	
mhd.	maget - mägede		phärt	
ahd.	magad - magadi		pharāfrit	
nhd.	schlafen - du schläfst, er schläft			
mhd.	slāfen - du slæfest, er slæfet			
ahd.	slāffan - slāffis, slāffit			
nhd.	Gott - Götter			- Göttin
mhd.	got - göter			- götinne
ahd.	got - gotir neben: gutir			- gutinna (!)
nhd.	hoch - Höhe			
mhd.	hōh - hœhe			
ahd.	hōh - hōhi			
nhd.	Maus - Mäuse		(du beutst, er beut)	
mhd.	mūs - miuse		du biutest, er biutet	
ahd.	mūs - mūsi		biutis, biutit	
nhd.	laufen - du läufst, er läuft			
mhd.	loufen - du löüfest, er löüfet			
ahd.	hlouffan - hlouffis, hlouffit			

nhd.	Fuß	-	Füße
mhd.	vuoz	-	vüeze
ahd.	fuoz	-	fuozzi

Umlauthinderungen sind vor allem oberdeutsch: cf. Innsbruck, Brugg/Aare - Osnabrück, Brügge .

(2) Außer ahd. /iu/ , das im Mittelhochdeutschen mit dem Umlaut von /ū/ zusammengefallen ist, ist auch der ahd. Diphthong /io/ aus dem mhd. Phoneminventar gestrichen; er ist mit dem ahd. Diphthong /ie/ (aus /ē₂/) zusammengefallen:

/ie/ → /ie/
/io/ ↗

cf. ahd. zēgal, zeagal, ziagal, ziegel - mhd. ziegel - nhd. Ziegel
ahd. beotan, biotan - mhd. bieten - nhd. bieten

Das mittelhochdeutsche Vokalsystem ("Normalmittelhochdeutsch" kritischer Ausgaben):

kurze Vokale:			lange Vokale:			Diphthonge:		
/i/	/ü/	/u/	/ī/	/ iu /æ/ǖ/	/ū/	/ie/	/üe/	/uo/
/ẹ/	/ö/	/o/	/ē/	/œ̄/	/ō/	/ei/	/öü/	/ou/
/ę/								
/ä/	/a/		/ǣ/	/ā/				

Entwickelungen vom Mittelhochdeutschen zum Neuhochdeutschen:

(1) Beseitigung der kurzen offenen Tonsilben:

-- Regelfall: Dehnung kurzer Vokale in offenen Tonsilben:

9. Jh. niederfränk.
12. Jh. mitteldeutsch
13. Jh. oberdeutsch

cf.				
mhd.	săgen, klăgen	-	nhd.	sāgen, klāgen
mhd.	gĕben, lĕben; nĕmen	-	nhd.	gēben, lēben; nēhmen
mhd.	geflŏgen, gezŏgen	-	nhd.	geflōgen, gezōgen
mhd.	ŏ̈l(e)	-	nhd.	Ȫl
mhd.	geblĭben	-	nhd.	geblīeben
mhd.	jŭgent, tŭgent	-	nhd.	Jūgend, Tūgend

Die Dehnung von mhd. /ę/ , /ö/ und /o/ ist mit einer Hebung der Artikulationsbasis gekoppelt. - Von den neuen Längen fallen [ā] , [ǟ] , [ẹ̄] , [ọ̈̄] und [ọ̄] mit den alten Längen mhd. /ā/ , /ǣ/ , /ē/ , /œ̄/ und /ō/ zusammen.

-- Seltener ist die Verlegung der Silbengrenze in den folgenden Konsonanten; diese erscheint häufig vor /t/ , /mel/ , /mer/ und anderen Konsonantenverbindungen:

cf.				
mhd.	găte; sĭte, wir rĭten	-	nhd.	Gatte; Sitte, wir ritten
aber:				
mhd.	văter	-	nhd.	Vāter
mhd.	hămer; hĭmel	-	nhd.	Hammer, Himmel
aber:				
mhd.	schĕmel	-	nhd.	Schēmel

Der für die Silbenstruktur des Alt- und Mittelhochdeutschen relevante Unterschied kurzer (offener) und langer (offener und geschlossener) Tonsilben besteht damit im Neuhochdeutschen nicht mehr - zwischen den Tonsilben des Neuhochdeutschen gibt es keine relevanten Quantitätsunterschiede mehr.

(2) Neuhochdeutsche Monophthongierung:

Die mhd. Diphthonge /ie/ , /üe/ , /uo/ werden monophthongiert und fallen mit den aus /i/ , /ü/ , /u/ im Zuge der Dehnung kurzer Vokale in offenen Tonsilben neu entstandenen Längen [ī], [ǖ], [ū] in nhd. /ī/ , /ǖ/ , /ū/ zusammen:

12. Jh. mitteldeutsch

cf.				
mhd.	liep; biegen, bieten	-	nhd.	lieb; biegen, bieten
mhd.	guot	-	nhd.	guot
mhd.	bruoder - brüeder	-	nhd.	Bruder - Brüder
mhd.	vuoz - vüeze	-	nhd.	Fuß - Füße

(3) Neuhochdeutsche Diphthongierung und neuhochdeutscher Diphthongwandel:

Die mhd. Längen /ī/ , /ǖ/ , /ū/ werden diphthongiert und fallen in der nhd. Standardsprache mit den alten Diphthongen /ei/ , /öu/ , /ou/ in nhd. /ai/ , /oi/ , /au/ zusammen:

Diphthongierung:
12. Jh. Kärnten
12./13. Jh. bairisch
14./15. Jh. mitteldeutsch
15. Jh. schwäbisch

cf.				
mhd.	mīn, dīn, sīn; blīben	-	nhd.	mein, dein, sein; bleiben
mhd.	stein, bein	-	nhd.	Stein, Bein
mhd.	hūs - hiuser	-	nhd.	Haus - Häuser
mhd.	boum - böüme	-	nhd.	Baum - Bäume

(4) Die alten Kürzen /ẹ/ , /ę/ (und /ä/) fallen, sofern sie nicht der Dehnung unterliegen, in nhd. /ę/ zusammen; im Falle der Dehnung fallen mhd. /ẹ/ , /ę/ und /ē/ in nhd. /ē/ , mhd. /ä/ und /ǣ/ in nhd. /ǣ/ zusammen.

Damit ergeben sich folgende Verschiebungen vom Mittelhochdeutschen zum Neuhochdeutschen:

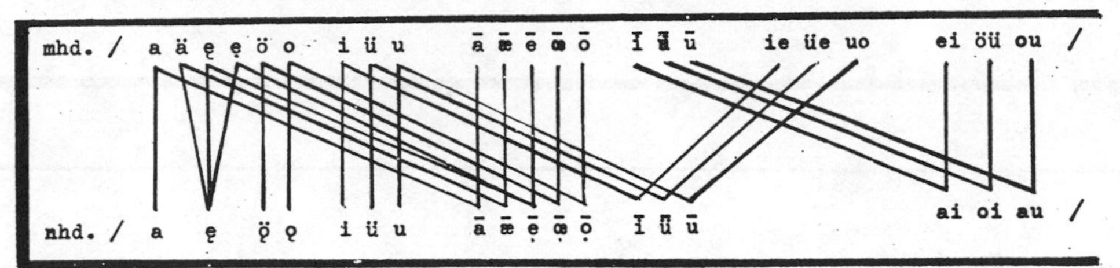

Die Mundarten verhalten sich hier abweichend:

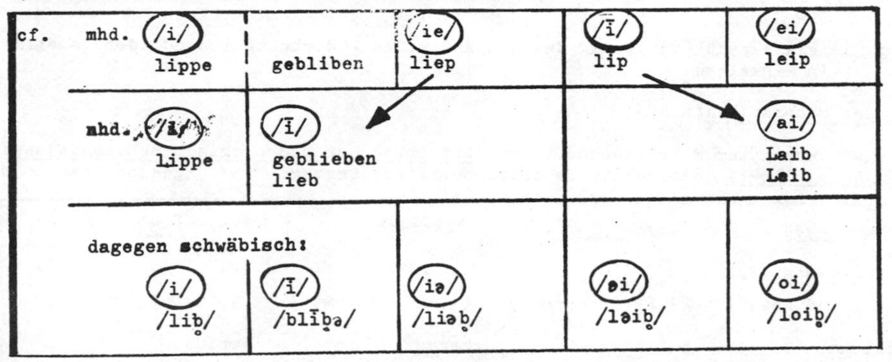

cf. mhd. /i/
lippe
gebliben
/ie/
liep
/ī/
lip
/ei/
leip
nhd. /i/
lippe
/ī/
geblieben
lieb
/ai/
Laib
Leib
dagegen schwäbisch:
/i/
/lib̥/
/ī/
/blībə/
/iə/
/liəb̥/
/əi/
/ləib̥/
/oi/
/loib̥/

(5) Keine systemverändernde Wirkung haben die folgenden Veränderungen vom Mittelhochdeutschen zum Neuhochdeutschen:

-- Dehnung kurzer Vokale in geschlossener Silbe vor /r/ und /r + Konsonant/ :

cf.	mhd.	mĭr, dĭr; ĭr	-	nhd.	mīr, dīr; īhr
	mhd.	ĕr, dĕr, wĕr	-	nhd.	ēr, dēr, wēr
	mhd.	vărt	-	nhd.	Fāhrt
	aber:				
	mhd.	hărt, gărte	-	nhd.	hărt, Gărten

-- Kürzung langer Vokale vor bestimmten Konsonanten und Konsonantengruppen:

cf.	mhd.	wāfen	-	nhd.	Wăffen
	mhd.	lāzen, slōz	-	nhd.	lăssen, Schlŏß
	mhd.	rāche, nāhgebūre	-	nhd.	Răche, Năchbar
	mhd.	klāfter	-	nhd.	Klăfter
	mhd.	brāhte, dāhte	-	nhd.	brăchte, dăchte
	mhd.	stuont, stüende	-	nhd.	(stŭnd), stŭnde
	mhd.	muoter	-	nhd.	Mŭtter
	mhd.	jāmer	-	nhd.	Jămmer
	mhd.	dierne	-	nhd.	Dĭrne

-- Senkung der Artikulationsbasis gerundeter Vokale vor Nasal:

cf.	mhd.	sun, wunne; sumer	-	nhd.	Sohn, Wonne; Sommer
	mhd.	künec	-	nhd.	König

-- Rundung (Labialisierung):

cf.	mhd.	helle, scheffe, swern, leschen	-	nhd.	Hölle, Schöffe, schwören, löschen
	mhd.	finf, wirde	-	nhd.	fünf, Würde
	mhd.	āne, māne, wā	-	nhd.	ohne, Mond, wo

-- Entrundung (Delabialisierung):

cf.	mhd.	bülez, bümez, küssen	-	nhd.	Pilz, Bims(stein), Kissen
	mhd.	slöüfe	-	nhd.	Schleife
	mhd.	kriusel, stiuz	-	nhd.	Kreisel, Steiß

D a s   V o k a l s y s t e m   d e r   n e u h o c h d e u t s c h e n   S t a n d a r d s p r a c h e :

kurze Vokale:				lange Vokale:				Diphthonge:	
/i/	/ü/	/u/		/ī/	/ǖ/	/ū/			
/ẹ/	/ọ̈/	/ọ/		/ẹ̄/	/ọ̈̄/	/ọ̄/		/oi/	
				/ǣ/					
/a/				/ā/				/ai/	/au/

Anhang:

(1) Zur Entwickelung der Vokale in Nebensilben:

N e b e n s i l b e n v e r f a l l :

Auslösendes Moment: der germ. Initialakzent (Fixierung des - dynamischen - Wortakzentes auf der jeweils ersten Silbe eines Wortes). Im einzelnen:

-- schrittweise Verkürzung der Nebensilben;

-- beim Übergang vom Althochdeutschen zum Mittelhochdeutschen Aufhebung der phonologischen Oppositionen zwischen den Vokalen der Nebensilben; an ihre Stelle tritt der Einheitsvokal /ə/ (geschrieben: ⟨e⟩).

cf.				
idg.	*bher-o-mes bzw. *bher-o-mēs (?)	*bher-o-ī-mē	*bhēr-me	*bhēr-ī-mē
	(1.Pl.Ind.Præs.)	(1.Pl.Opt.Præs.)	(1.Pl.Ind.Præt.)	(1.Pl.Opt.Præt.)
got.	bairam	bairaima	bērum	bērīma
ahd.	berames → berēm → beren	berēm → berēn	bārum → bārun	bārīm → bārīn
mhd.	ber(e)n	ber(e)n	bāren	bæren
nhd.	wir (ge)bären	wir (ge)bären	wir (ge)baren	(wir würden gebären)

Der durch den Nebensilbenverfall bedingte Schwund an Ausdrucksmitteln erhält einen Ausgleich durch die systematische Erweiterung des Vokalsystems der Tonsilben (Assimilationsprozesse, vor allem i- und a-Umlaute) sowie den Rückgriff auf das Mittel der Periphrase (Übergang vom synthetischen zum analytischen Sprachbau).

(2) Die wichtigsten Veränderungen des Vokalsystems, die in die Zeit nach der Ausgliederung des Deutschen aus der (west)germ. Sprachgemeinschaft fallen, haben Parallelen in der Entwicklung der anderen westgerm. sowie der nordgerm. Sprachen. Nur die Bedingungen, unter denen die betreffenden Veränderungen eintreten, sind jeweils mehr oder weniger andere. Dies gilt vor allem für

-- die Fortsetzung der gemeingerman. bzw. gemeinwestgerman. Assimilationsprozesse im i-Umlaut:

cf.							
dt.	Gans	-	Gänse	engl.	goose	-	geese
dt.	Zahn	-	Zähne	engl.	tooth	-	teeth
dt.	Maus	-	Mäuse	engl.	mouse	-	mice
dt.	Laus	-	Läuse	engl.	louse	-	lice
dt.	Fuß	-	Füße	engl.	foot	-	feet
dt.	Bruder	-	Brüder	engl.	brother	-	brethren

-- die Beseitigung der kurzen offenen Tonsilben im Verlaufe des Hochmittelalters;

-- die tiefgreifende Umstrukturierung des gesamten Vokalsystems im Laufe des späteren Mittelalters: vergleichbar sind z. B. die Erscheinungen des " G r e a t   E n g l i s h   V o w e l   S h i f t " mit deutschen Veränderungen wie der nhd. Diphthongierung, der nhd. Monophthongierung und dem nhd. Diphthongwandel.

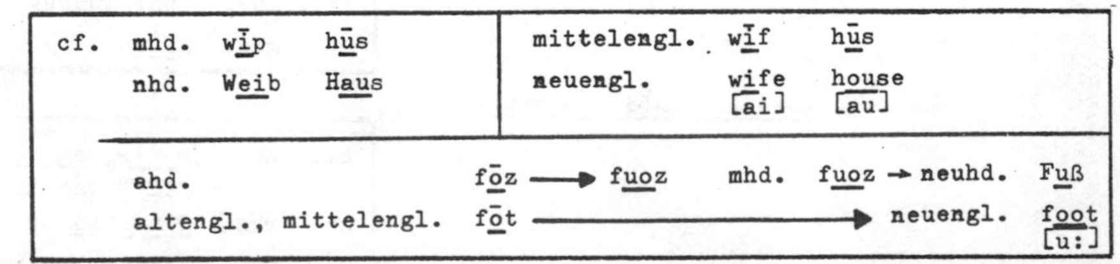

cf. mhd. wīp hūs
nhd. Weib Haus
mittelengl. wīf hūs
neuengl. wife [ai] house [au]
ahd. fōz → fuoz mhd. fuoz → neuhd. Fuß
altengl., mittelengl. fōt → neuengl. foot [u:]

Historische Phonologie (2): Konsonantismus

Das indogermanische (vorgermanische) Konsonantensystem:

Verschlußlaute:	/p/	/t/	/k/	/qᵘ̯/	Spiranten:	/s/	
	/b/	/d/	/g/	/gᵘ̯/	Nasale:	/m/	/n/
					Liquide:	/r/	/l/
	/bh/	/dh/	/gh/	/gᵘ̯h/			
					[Halbvokale:	/i̯/	/u̯/]

Entwickelungen vom Indogermanischen (Vorgermanischen) zum Germanischen; gemeingermanische Entwickelungen:

Die Entwicklung vom Indogermanischen (Vorgermanischen) zum Germanischen ist durch eine tiefgreifende Umstrukturierung des gesamten indogermanischen Verschlußlautsystems charakterisiert:

Erste oder germanische Lautverschiebung (I. LV):

Umfaßt folgende Prozesse:

(1) Unter dem Einfluß eines starken dynamischen Akzents werden die stimmlosen Verschlußlaute ("tenues") des Indogermanischen zunächst aspiriert ("tenues aspiratae") und in der Folge zu stimmlosen Spiranten verschoben:

/p/ → /ph/ → /f/
/t/ → /th/ → /þ/
/k/ → /kh/ → /x/
/qᵘ̯/ → /qᵘ̯h/ → /xᵘ̯/

cf.							
idg.	*pəté́r	*p-ísko-s	*pék-u	*tréi̯es	*kap-	*[d]km̥-tó-m	*qᵘ̯o-d
[lat.	pater	piscis	pecus	três	capere	centum	quod]
germ.	*fadér	*fiskaz	*fexu	*þrīz	*xafi̯ana	*xund	*xᵘ̯at
got.	fadar	fisks	faíhu	þreis	hafjan	hund	hwat
engl.	father	fish	fee	three	to heave	hundred	(what)
dt.	Vater	Fisch	Vieh	(drei)	heben	hundert	(was)

Sonderentwickelungen:

-- Die indogerm. Phonemfolgen /s + p/ , /s + t/ , /s + k/ , /s + qᵘ̯/ werden von der Verschiebung nicht erfaßt:

cf.					
lat.	speciō	- ahd.	spehōn	(nhd.	spähen)
lat.	stella	- ahd.	sterno	(nhd.	Stern)
lat.	est	- ahd.	ist	nhd.	ist
gr.	skótos	- ahd.	skato	(nhd.	Schatten)

-- Ebenso wird /t/ in den indogerm. Phonemfolgen /p + t/ , /k + t/ nicht verschoben:

/p + t/ → /ft/
/k + t/ → /xt/

cf.			
lat.	captus	- nhd.	Haft
lat.	octō	- nhd.	acht
lat.	noctem	- nhd.	Nacht

-- Die indogerm. Phonemfolge /t + t/ (auch für /d + t/ , /dh + t/) wird germanisch durch die Phonemfolge /s + s/ ersetzt:

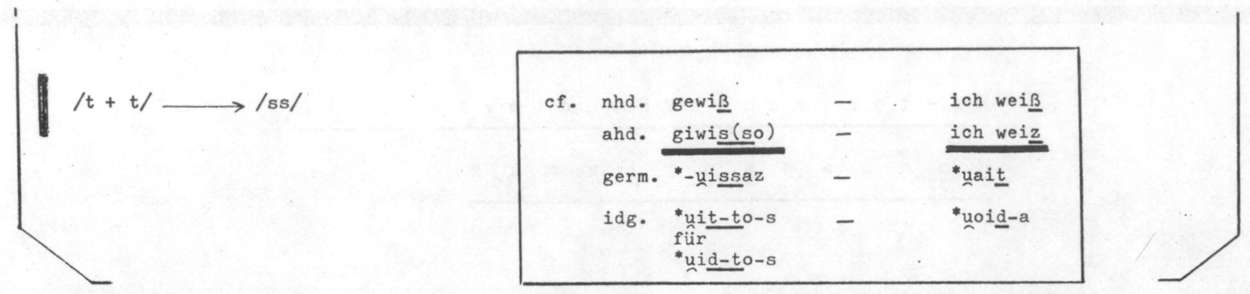

/t + t/ → /ss/

cf.			
nhd.	gewiß	—	ich weiß
ahd.	giwis(so)	—	ich weiz
germ.	*-u̯issaz	—	*u̯ait
idg.	*u̯it-to-s für *u̯id-to-s	—	*u̯oid-a

(2) Parallel dazu vollzieht sich eine Verschiebung der aspirierten stimmhaften Verschlußlaute ("mediae aspiratae") des Indogermanischen zu stimmhaften Spiranten:

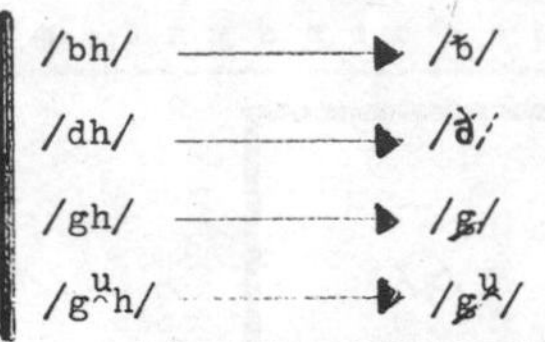

cf.						
idg.	*bher-	*bhrátōr	*dhur-	*ghaid-	*ghans-	*ghostis
[gr.	pherō	phrátōr	thýrā	--	khēn (khān)	--]
[lat.	ferō	frāter	forēs	haedus	(h)anser	hostis]
germ.	*ƀerana	*ƀrōþar	*đur-	*gaitis	*gans-	*gastiz
got.	bairan	brōþar	daúrōns	gaits	*gansus	gasts
engl.	to bear	brother	door	goat	goose	guest
dt.	[ge]bären	Bruder	(Tür)	Geiß	Gans	Gast

(3) Die stimmhaften Verschlußlaute des Indogermanischen ("mediae") werden germanisch zu stimmlosen Verschlußlauten ("tenues"); diese Verschiebung kann als struktureller "Sog" ("drag chain") verstanden werden:

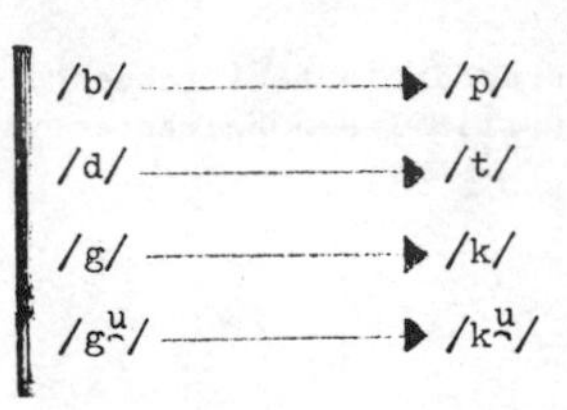

cf.			
lat. labium	- --		- dt. Lippe
lat. decem	- engl. ten	(-	dt. zehn)
lat. domāre	- engl. to tame	(-	dt. zähmen)
lat. edere	- engl. to eat	(-	dt. essen)
lat. gelidus	- engl. cold		- dt. kalt
lat. gena	(- engl. chin)		- dt. Kinn
lat. ager	- engl. acre		- dt. Acker

Dieser Prozeß der Umstrukturierung des indogermanischen Verschlußlautsystemes wird gemeingermanisch fortgesetzt:

(4) "**V e r n e r s G e s e t z**":

Die nach der I. LV im Germanischen vorhandenen stimmlosen Spiranten entwickeln in stimmhafter Umgebung stimmhafte Allophone, sofern der (indogermanische) Wortakzent nicht unmittelbar vorausgeht. Diese Allophone werden nach der Fixierung des Wortakzentes auf der jeweils ersten Silbe eines Wortes (german. I n i t i a l a k z e n t) phonologisiert und fallen dabei **mit den** auf die indogerm. "mediae aspiratae" zurückgehenden german. stimmhaften Spiranten zusammen:

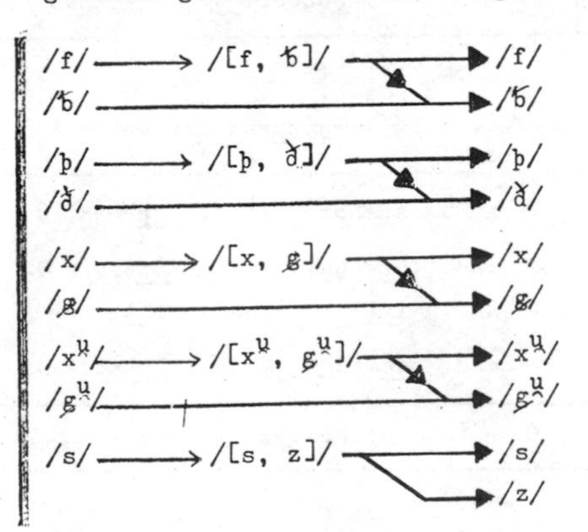

cf.			
idg.	*patér	aber:	*bhrátōr
[gr.	patér	aber:	phrátōr]
germ.	*faþér	aber:	*brṓþōr
	*fađér	aber:	*brṓþōr
	*fáđer	aber:	*brṓþar
got.	fadar	aber:	brōþar
ahd.	fater	aber:	bruoder
nhd.	Vater	aber:	Bruder

Verners Gesetz bildet die Grundlage für den G r a m m a t i s c h e n W e c h s e l in den germ. Mundarten:

cf. nhd.			
(be)dürfen	- darben		/f/ - /b/
Hefe	- heben		
leiden	- wir litten		/d/ - /t/
schneiden	- wir schnitten		

ziehen - wir zogen (ver)zeihen - zeigen (ge)deihen - (ge)diegen		/h/ - /g/
wesen, gewesen - wir waren; währen (er)kiesen - wir erkoren; Kur(fürst), Kür, küren (Ver)lust - (ver)lieren Frost - frieren List - lehren Durst - dürr		/s/ - /r/

Eine besondere Rolle spielt der Grammatische Wechsel bei der Stammbildung der Starken Verben in den älteren germ. Mundarten; in den modernen germ. Sprachen ist seine Wirkung hier auf Grund von Systemausgleich weitgehend beseitigt:

nhd. /f/ - /b/ ahd. /f/ - /b/ germ. /f/ - /ƀ/	nhd. (heben) - wir hoben ahd. heffen - huobum germ. *hafjana - *hōƀum idg. *káp-i̯o-no-m - *kāp-mé	
nhd. /d/ - /t/ ahd. /d/ - /t/ germ. /þ/ - /đ/	nhd. werden - (wir wurden) ahd. uuerdan - uuurtum germ. *u̯erþana - *u̯urđum idg. *u̯ért-o-no-m - *u̯r̥t-mé	
nhd. /h/ - /g/ ahd. /h/ - /g/ germ. /x/ - /ǥ/	nhd. ziehen - wir zogen ahd. ziohan - zugum germ. *teuxana - *tuǥum idg. *déuk-o-no-m - *duk-mé	
nhd. -- ahd. /h/ - /u̯/ germ. /x^{u}/ - /ǥ^{u}/	nhd. leihen - (wir liehen) ahd. lîhan - liuuum germ. *lîx^{u}ana - *liǥ^{u}um idg. *lí-n-q^{u}-o-no-m - *liq^{u}-mé	
nhd. /s/ - /r/ ahd. /s/ - /r/ germ. /s/ - /z/	nhd. (er)kiesen - wir (er)koren ahd. kiosan - kurum germ. *keusana - *kuzum idg. *ǵéus-o-no-m - *ǵus-mé	

(5) Die stimmhaften Spiranten des Germanischen haben die Tendenz, in stimmhafte Verschlußlaute ("mediae") überzugehen:

gemeingermanisch entwickeln /ƀ/ und /đ/ im Wortanlaut, /ƀ/, /đ/ und /ǥ/ im Wortinlaut nach Nasal die Allophone [b], [d] und [g]; dieser Zustand ist im Englischen weitgehend konserviert:

cf. engl. to bear, to climb gegenüber dt. (ge)bären, (klimmen aus: mhd. klimben)	aber: to have, to give haben, geben	
engl. to do, to bind gegenüber dt. tun, binden	aber: father Vater	
engl. long, longer gegenüber dt. lang, länger	aber: yellow, yester(day), to say gelb, gestern, sagen	

(6) Die stimmlosen Spiranten /x/ und /x^{u}/ werden gemeingermanisch zu /h/ und /h^{u}/ weiterentwickelt; vor /t/ und im Wortauslaut wird /h/ gemeingermanisch jedoch weiterhin als [x] realisiert:

cf. nhd. heben (sehen) —— Gesicht
(hoher, hohe, hohes) ———— hoch

Insgesamt handelt es sich also um folgende Verschiebungsakte:

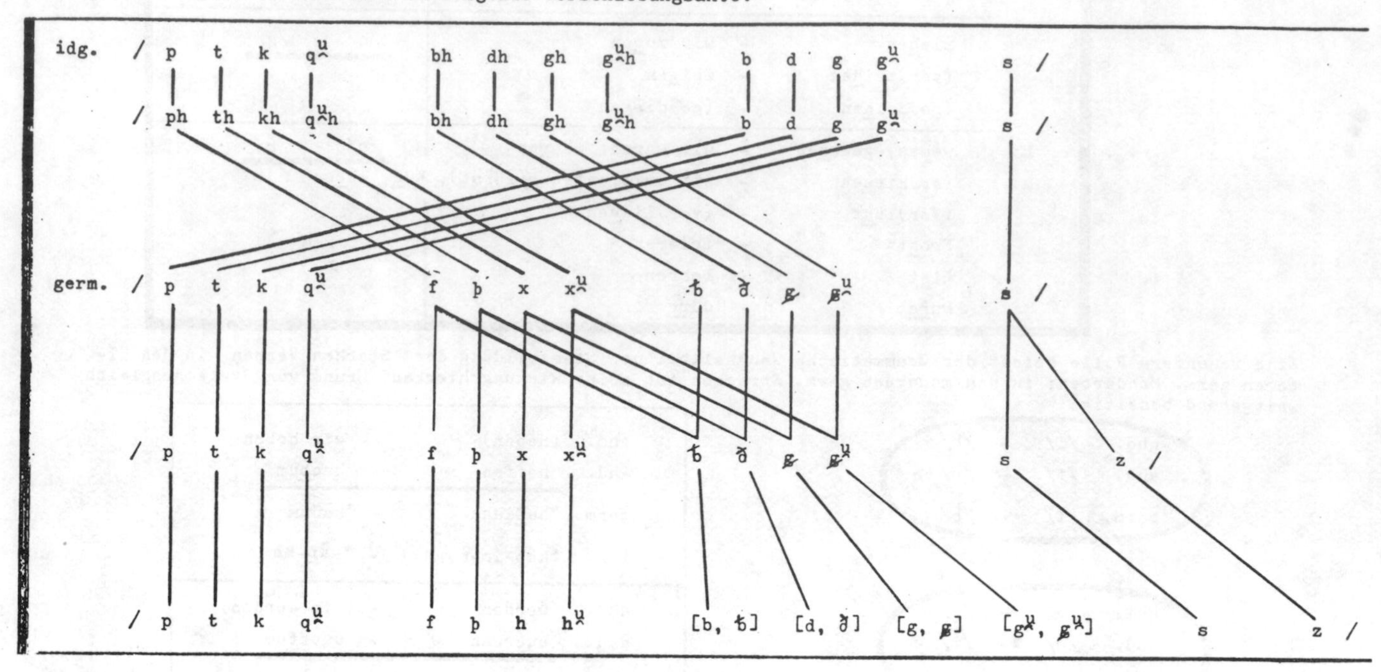

Zusatz:

Die Regel, nach der die indogerm. Phonemfolgen /p + t/ , /k + t/ und /t + t/ im Germanischen als /ft/ , /xt/ und /ss/ erscheinen, wirkt gemeingermanisch und teilweise noch in den historischen Mundarten fort; danach werden vor /t/ alle bilabialen bzw. labeodentalen Obstruenten als [f] , alle velaren Obstruenten als [x] realisiert; die Verbindung zweier dentaler Obstruenten ergibt /ss/ , das allerdings analog zu /ft/ und /xt/ in den meisten Fällen durch /st/ ersetzt wird ("p r i m ä r e B e r ü h r u n g ") :

cf. nhd.	geben	aber:	Gift
	graben, grub	aber:	Gruft
	heben Hefe	aber:	Haft, Heft
	schaffen schöpfen	aber:	Geschäft, -schaft
	laden	aber:	Last
	rot	aber:	Rost
	pflegen	aber:	Pflicht
	tragen	aber:	Tracht
	schlagen	aber:	Schlacht
	denken	aber:	dachte
	dünken	aber:	däuchte
	bringen	aber:	brachte

nhd.	wissen	-	ich wußte	-	gewiß	müssen	-	ich mußte
mhd.	wizzen	-	ich wiste/weste neben ich wisse/wesse	-	giwis(se)	müezen	-	ich muoste neben ich muose
ahd.	wizzan	-	wista/westa neben wissa/wessa	-	giuuis(so)	muoz(z)an	-	muos(s)a

Einzelsprachliche Abweichungen von dieser Regel beruhen auf Systemausgleich oder lassen sich durch Synkope eines ursprünglich vorhandenen Mittelvokals ("sekundäre Berührung") erklären:

cf.	nhd.	knüpfen	-	knüpfte	decken wecken	- -	deckte weckte	er liegt
	mhd.	knüpfen	-	knufte	decken wecken	- -	dahte wahte	er liget
	ahd.	knuphen	-	knufta	decken wecken	- -	dahta wahta	ligit

D a s   g e r m a n i s c h e   K o n s o n a n t e n s y s t e m :

Verschlußlaute und Spiranten:	/p/	/t/		/k/	/kᵘ̯/	Nasale:	/m/	/n/
	/f/	/þ/	/s/	/h/	/hᵘ̯/	Liquide:	/r/	/l/
	[b]	[d]		[g]	[gᵘ̯]			
	[ƀ]	[ð]	/z/	[ǥ]	[ǥᵘ̯]	[Halbvokale:	/i̯/	/u̯/]

Entwickelungen vom Germanischen zum Westgermanischen (Vordeutschen):

(1) W e s t g e r m a n i s c h e   K o n s o n a n t e n - " G e m i n a t i o n " :

Im Westgermanischen werden vor den Halbvokalen /i̯/ und /u̯/ sowie vor den Liquiden /r/ und /l/ und den Nasalen /m/ und /n/ häufig Konsonanten gedehnt ("geminiert" = "verdoppelt"). Regelmäßig tritt diese Konsonantendehnung nur vor /i̯/ ein.

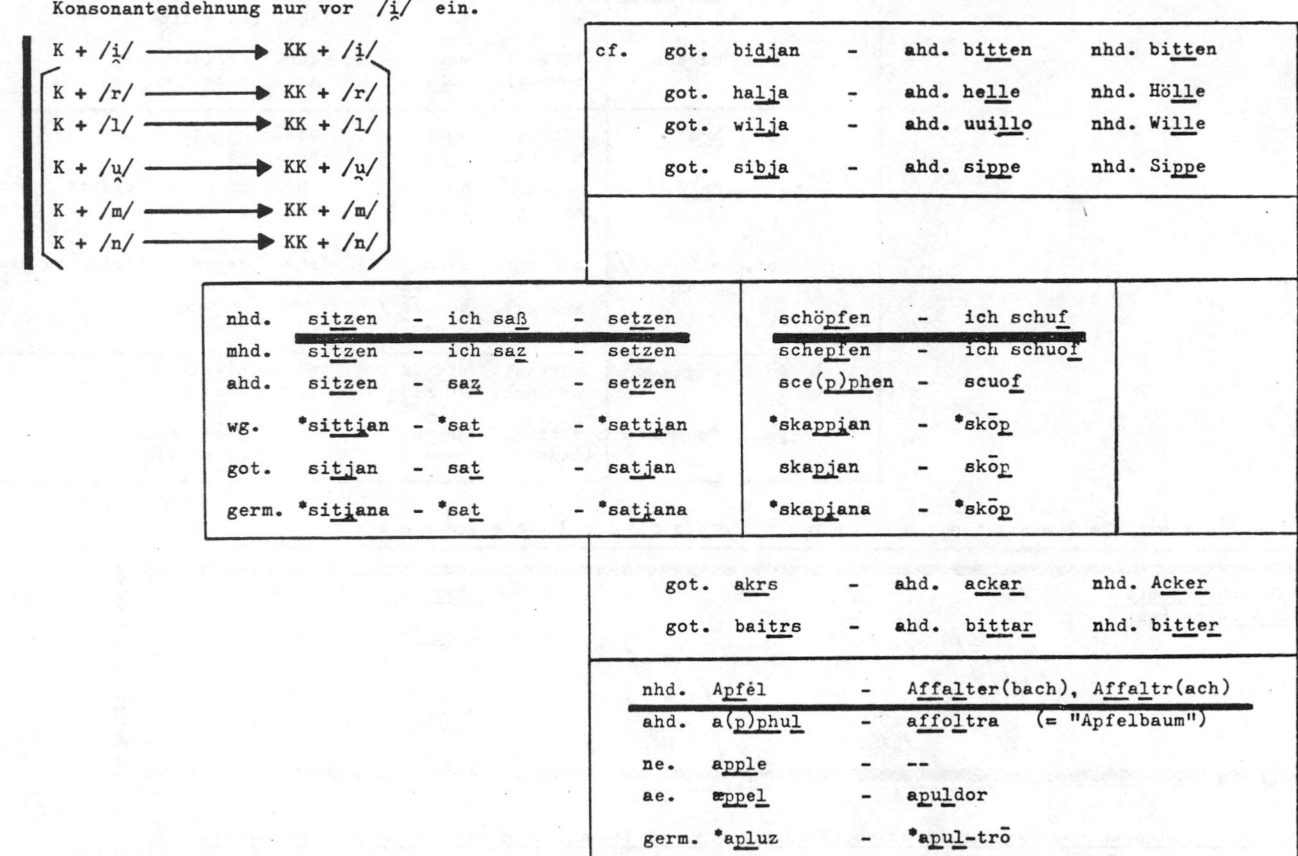

K + /i̯/ ⟶ KK + /i̯/
K + /r/ ⟶ KK + /r/
K + /l/ ⟶ KK + /l/
K + /u̯/ ⟶ KK + /u̯/
K + /m/ ⟶ KK + /m/
K + /n/ ⟶ KK + /n/

cf.	got. bidjan	-	ahd. bitten	nhd. bitten
	got. halja	-	ahd. helle	nhd. Hölle
	got. wilja	-	ahd. uuillo	nhd. Wille
	got. sibja	-	ahd. sippe	nhd. Sippe

nhd.	sitzen	-	ich saß	-	setzen	schöpfen	-	ich schuf
mhd.	sitzen	-	ich saz	-	setzen	schepfen	-	ich schuof
ahd.	sitzen	-	saz	-	setzen	sce(p)phen	-	scuof
wg.	*sittjan	-	*sat	-	*sattjan	*skappjan	-	*skōp
got.	sitjan	-	sat	-	satjan	skapjan	-	skōp
germ.	*sitjana	-	*sat	-	*satjana	*skapjana	-	*skōp

got. akrs	-	ahd. ackar	nhd. Acker
got. baitrs	-	ahd. bittar	nhd. bitter

nhd.	Apfel	-	Affalter(bach), Affaltr(ach)
ahd.	a(p)phul	-	affoltra (= "Apfelbaum")
ne.	apple	-	--
ae.	æppel	-	apuldor
germ.	*apluz	-	*apul-trō

(2) Die schon gemeingermanisch feststellbare Tendenz, die stimmhaften Spiranten /ƀ/, /ð/, /ǥ/ in stimmhafte Verschlußlaute überzuführen, macht sich in den westgerm. Mundarten verstärkt bemerkbar: im Vordeutschen ist /ð/ in allen Positionen in /d/ übergegangen, /ƀ/ und /ǥ/ werden gegenüber dem gemeingerm. Lautstand auch in der Gemination als [b] und [g] realisiert:

cf.	altsächs.	beran	lamb	sibbia	aber:	geƀan
	ahd.	beran	lamb	sippe		geban
	nhd.	(ge)bären	(Lamm)	Sippe		geben
	altsächs.	dōn	bindan	biddian	fader	
	ahd.	tuon	bintan	bitten	fater	
	nhd.	tun	binden	bitten	Vater	
	altsächs.	lang	liggian		aber:	geƀan, ǥast dragan
	ahd.	lang	licken			geban, gast tragen
	nhd.	lang	(liegen)			geben, Gast tragen

(3) Die stimmhafte Spirans /z/ fällt westgermanisch (und nordgermanisch) mit germ. /r/ zusammen (" w e s t g e r m a n i s c h e r   R h o t a z i s m u s ") :

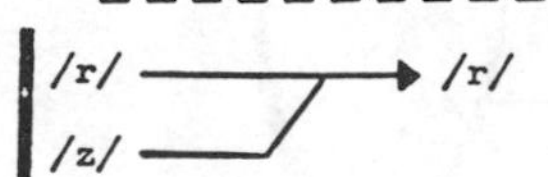

cf.	got. maiza	-	ahd. mēro	nhd. mehr
	got. huzd	-	ahd. hort	nhd. Hort

Auf Grund dieser Entwicklung erscheint der gemeingerm. Grammatische Wechsel /s/ - /z/ in den west- (und nord-)germ. Sprachen als Wechsel /s/ - /r/ .

(4) Die Reihe der Labeovelare (/q^u/ , /h^u/ , /[g^u] , [ǥ^u]/) wird in den westgerm. Sprachen aufgelöst:

-- /q^u/ und /h^u/ erscheinen in den westgerm. Sprachen im Wortanlaut (vor Vokalen) als biphonemische Gruppen /k + u̯/ und /h + u̯/ , die später häufig, so regelmäßig vor den mit Lippenrundung artikulierten Vokalen, zu /k/ und /h/ vereinfacht werden; im Wortinlaut (zwischen Vokalen) und im Wortauslaut (nach Vokal) werden sie durch /k/ und /h/ , seltener (westgerm. Konsonantengemination vor /u̯/) durch /kk/ und /hh/ ersetzt;

-- /g^u/ erscheint in den westgerm. Sprachen als /g/ , so stets im Wortinlaut nach Nasal, oder, so in den meisten Fällen, als /u̯/ :

cf. got. qius	altengl. cwicu neuengl. quick	ahd. quec neben kec nhd. Queck (-silber) neben keck
got. qiman	altengl. cuman neuengl. to come	ahd. queman neben coman nhd. kommen
got. (ga)qumþs	-- --	ahd. cumft nhd. (An)kunft
got. naqaþs	altengl. nacod neuengl. naked	ahd. nackot nhd. nackt
got. hʍat	altengl. hwat (neuengl. what)	ahd. huuaz (nhd. was)
germ. *h^uōstō	altengl. hwōsta (neuengl. whoost)	ahd. huuosto , später huosto nhd. Husten
got. saihʍan / / sahʍ	altengl. sēon / / seah neuengl. to see / / saw	ahd. sehan (selten: sehhan) / / sah nhd. sehen / / sah
got. siggwan	altengl. singan neuengl. to sing	ahd. singan nhd. singen
germ. *seǥ^uanaz	altengl. sewen (neuengl. seen)	ahd. gisewan (nhd. gesehen)

D a s w e s t g e r m a n i s c h e (v o r d e u t s c h e) K o n s o n a n t e n s y s t e m :

Verschlußlaute und Spiranten:	/p/		/t/	/k/	Nasale:	/m/	/n/
	[b] [ƀ]		/d/	[g] [ǥ]	Liquide:	/r/	/l/
	/f/	/þ/	/s/	/h/	[Halbvokale:	/i̯/	/u̯/]

Die Entwickelungen vom Westgermanischen (Vordeutschen) zu den althochdeutschen Stammesmundarten:

Die Entwicklungen vom Westgermanischen zu den althochdeutschen Stammesmundarten ist durch eine bis in Einzelheiten der I. LV vergleichbare tiefgreifende U m s t r u k t u r i e r u n g d e s g e s a m t e n w e s t - g e r m a n i s c h e n V e r s c h l u ß l a u t - u n d S p i r a n t e n s y s t e m s charakterisiert:

Z w e i t e oder a l t h o c h d e u t s c h e L a u t v e r s c h i e b u n g (I I . L V) :

Umfaßt folgende Prozesse, bei denen sich die einzelnen Mundarten unterschiedlich verhalten:

(1) Unter dem Einfluß des starken dynamischen Akzents werden die stimmlosen Verschlußlaute ("tenues") des (West)germanischen, für die aspirierte Aussprache anzunehmen ist ("tenues aspiratae"), zu Affrikaten verschoben ("tenuis-affricata--Verschiebung") (Verschiebungsakt A) ; diese Affrikaten werden in bestimmten Positionen zu langen ("geminierten") stimmlosen Spiranten weiterentwickelt ("tenuis-spirans-Verschiebung") (Verschiebungsakt B) ; die langen stimmlosen Spiranten wiederum verlieren später in einzelnen Positionen das Merkmal 'Länge' (sie werden "vereinfacht") (Verschiebungsakt C) :

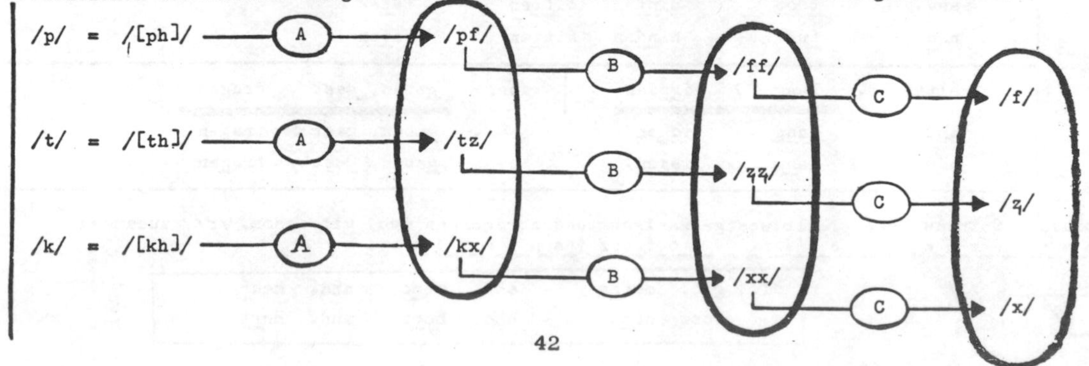

Im einzelnen gilt folgendes:

Verschiebungsakt A :

Die Verschiebung der stimmlosen Verschlußlaute des (West)germanischen zu Affrikaten tritt ein
-- im Wortanlaut,
-- im Wortin- und -auslaut nach Konsonant,
-- mithin auch in der "Gemination" ;

dabei ist
-- /t/ ⟶ /tz/ g e s a m t h o c h d e u t s c h ("Benrather Linie") ,
-- /p/ ⟶ /pf/ o b e r d e u t s c h und o s t f r ä n k i s c h ,
-- /k/ ⟶ /kx/ nur o b e r d e u t s c h ;

Beispiele: s. S. 46

heute ist die Verschiebung /k/ ⟶ /kx/ in das südliche Oberdeutsch ("Alpendeutsch") zurückgedrängt.

Verschiebungsakt B :

Die Verschiebung der stimmlosen Verschlußlaute des (West)germanischen zu langen stimmlosen Spiranten tritt ein
-- im Wortinlaut zwischen Vokalen,
im Wortauslaut nach Vokal ;

diese Verschiebung ist g e s a m t h o c h d e u t s c h .

Verschiebungsakt C :

Die "Vereinfachung" der langen stimmlosen Spiranten erfolgt während der althochdeutschen Zeit
-- im Wortinlaut nach langen Vokal und stets
-- im Wortauslaut ;

auch diese Verschiebung ist g e s a m t h o c h d e u t s c h .

Sonderentwickelungen:

-- /p/ /t/ /k/ in den biphonemischen Gruppen /sp/ /st/ /sk/ bleiben unverschoben:

cf.	altengl. springan	- neuengl. to spring	-- ahd. springan	- (nhd. springen)
	altengl. stān	- neuengl. stone	-- ahd. stein	- (nhd. Stein)
	altengl. skip	- (neuengl. ship)	-- ahd. skif	- (nhd. Schiff)

-- Ebenso wird /t/ in den biphonemischen Gruppen /ft/ /ht = [xt]/ nicht verschoben:

cf.	altengl. hæft	- --	-- ahd. haft	- nhd. Haft
	altengl. niht	- (neuengl. night)	-- ahd. naht	- nhd. Nacht
	altengl. eahta	- (neuengl. eight)	-- ahd. ahto	- nhd. acht

-- /t/ bleibt auch in der Phonemfolge /t + r/ unverschoben:

cf. nhd.	beizen	- beißen	- bitter
ahd.	beitzen	- bīzzan	- bittar
wg.	*baittjan	- *bītan	- *bittra
germ.	*baitjana	- *beitana	- *bitraz

Beispiele: s. S. 46

-- Einer Sonderentwicklung ist auch /p/ in den Phonemfolgen /r + p/ /l + p/ unterworfen; in diesen Verbindungen wird /p/ in allen hochdeutschen Mundarten zunächst zur Affrikata /pf/ verschoben, dann, im Verlauf der althochdeutschen Zeit zur stimmlosen Spirans /f/ weiterentwickelt

/rp/ ⟶ /rpf/ ⟶ /rf/
/lp/ ⟶ /lpf/ ⟶ /lf/

(2) Die bereits gemeingermanisch feststellbare, im Westgermanischen verstärkt wirksame Tendenz, die stimmhaften Spiranten des Germanischen (/ƀ/ /đ/ /ǥ/) in stimmhafte Verschlußlaute ("mediae") überzuführen, setzt sich althochdeutsch (mit Ausnahme des Mittelfränkischen, das den westgermanischen / vordeutschen Zustand konserviert) endgültig durch. Die neu entstandenen stimmhaften Verschlußlaute (/b/ /d/ /g/) werden dann in den althochdeutschen Mundarten - auf Grund eines strukturellen "Soges" - teilweise zu stimmlosen Verschlußlauten ("tenues") weiterverschoben ("media-tenuis-Verschiebung") :

/[b] , [ƀ]/ ⟶ /b/ ⟶ /p/
/d/ ⟶ /t/
/[g] , [ǥ]/ ⟶ /g/ ⟶ /k/

Dabei muß unterschieden werden zwischen der Verschiebung "einfacher" und "geminierter" stimmhafter Verschlußlaute ; im einzelnen gilt:

/dd/ ⟶ /tt/ ist o b e r d e u t s c h , o s t f r ä n k i s c h und r h e i n f r ä n - k i s c h ,

/d/ ⟶ /t/ ist o b e r d e u t s c h und o s t f r ä n k i s c h ,

/bb/ ⟶ /pp/
/gg/ ⟶ /kk/ sind o b e r d e u t s c h ,

/b/ ⟶ /p/
/g/ ⟶ /k/ sind o b e r d e u t s c h und werden im 1o. Jh. rückgängig gemacht.

In den Umkreis der II. LV gehört

(3) die "<u>f r ü h a l t h o c h d e u t s c h e S p i r a n t e n s c h w ä c h u n g</u>".

Auf Grund eines Distanzierungsprozesses werden nach der Verschiebung der germ. stimmlosen Verschlußlaute zu stimmlosen Spiranten im Althochdeutschen die germ. stimmlosen Reibelaute /f/ /þ/ /s/ lenisiert; /h/ schwindet in einzelnen Positionen:

/p/ ⟶ /f/
/f/ ⟶ /v/
/t/ ⟶ /ʒ/
/þ/, /s/ ⟶ /đ/, /ṡ/
/k/ ⟶ /x/
/h/ ⟶ /h/ oder /Null/

Die Entwicklung /f/ ⟶ /v/ wird graphisch faßbar durch die Ablösung des Graphs ⟨f⟩ durch das Graph ⟨u,v⟩ in Fällen wie

ahd. <u>f</u>ater ⟶ <u>u</u>ater, <u>v</u>ater - nhd. <u>V</u>ater
ahd. <u>f</u>ogal ⟶ <u>u</u>ogal, <u>v</u>ogal - nhd. <u>V</u>ogel

Schwund von /h/ tritt zunächst in den Anlautverbindungen /h + u̯/ , /h + r/ , /h + l/ , /h + n/ ein:

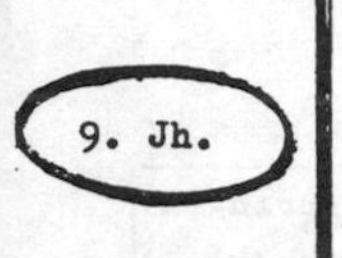

/h + u̯/ ⟶ /u̯/
/h + r/ ⟶ /r/
/h + l/ ⟶ /l/
/h + n/ ⟶ /n/

cf. ahd. <u>hu</u>uer ⟶ <u>u</u>uer - nhd. <u>w</u>er
ahd. <u>hr</u>ing ⟶ <u>r</u>ing - nhd. <u>R</u>ing
ahd. <u>hl</u>ūt ⟶ <u>l</u>ūt - nhd. <u>l</u>aut
ahd. <u>hn</u>īgan ⟶ <u>n</u>īgan - nhd. <u>n</u>eigen

(4) In den Mundarten, die westgerm. /d/ zu ahd. /t/ weiterentwickelt haben, wird das auf Grund der ahd. Spirantenschwächung entstandene /đ/ zu /d/ weiterverschoben (struktureller "Sog"); die Stelle des lenisierten stimmlosen Spiranten im ahd. Konsonantensystem wird in der Reihe der Dentale durch /ṡ/ ausgefüllt:

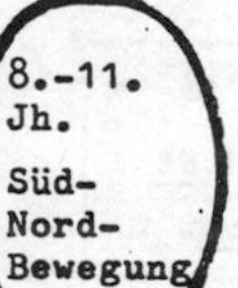

/þ/ ⟶ /đ/ ⟶ /d/

cf. engl. to <u>th</u>ink - dt. <u>d</u>enken
engl. <u>th</u>ou, <u>th</u>ine - dt. <u>d</u>u, <u>d</u>ein

Insgesamt handelt es sich um folgende Verschiebungsakte:

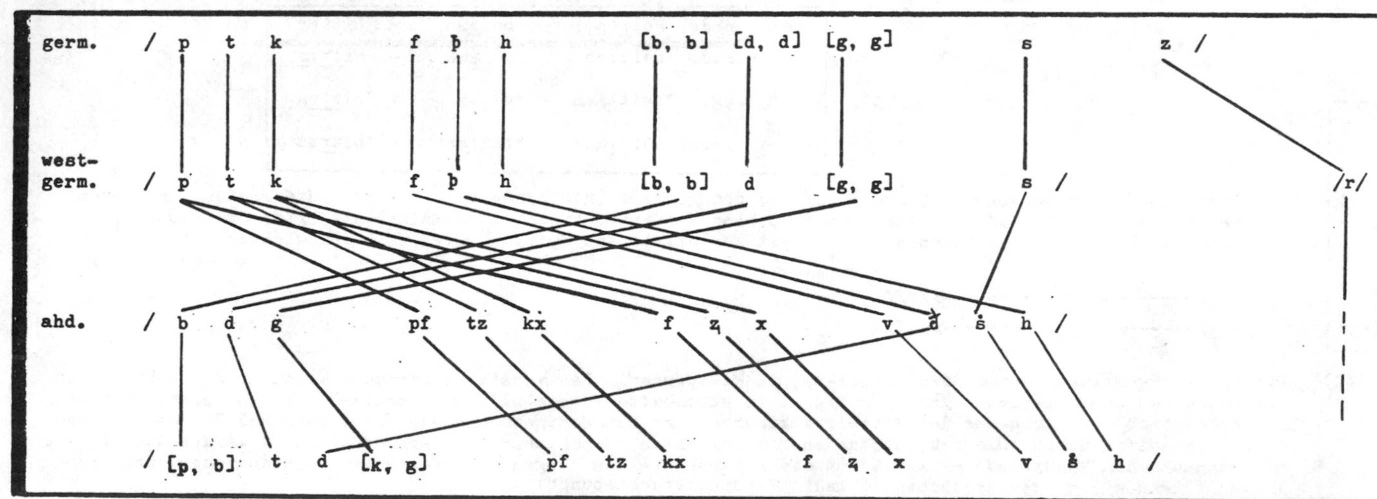

Weitere Entwicklungen betreffen den Halbvokal /u̯/ , der in den Anlautverbindungen /u̯ + r/ und /u̯ + l/ schwindet:

/u̯ + r/ ⟶ /r/
/u̯ + l/ ⟶ /l/

cf. altengl. <u>wr</u>ītan - neuengl. to <u>wr</u>ite - ahd. <u>r</u>īzzan - nhd. <u>r</u>eißen
altengl. <u>wl</u>ite - -- - ahd. ant-<u>l</u>itzi - nhd. Ant<u>litz</u>

In den Phonemfolgen /a + u̯/ /i + u̯/ entstehen in vielen Fällen Diphthonge mit folgendem halbvokalischem Gleitlaut:

/a + u̯/ ⟶ /au̯/

/i + u̯/ ⟶ /iu̯/ ;

diese Diphthonge werden im wesentlichen wie die alten Diphthonge /ai/ und /iu/ behandelt:

cf.	(west)germ.	*gau̯ia	ahd. gouwi neben gewi	nhd.	Gäu (Gau)
	(west)germ.	*hau̯ia	ahd. houwi neben hewi	nhd.	Heu
	(west)germ.	*frau̯ian	ahd. frouwen neben frewen	nhd.	freuen
	(west)germ.	*frau̯a(z)	ahd. frao ⟶ frō	nhd.	froh
	(west)germ.	*niu̯ia(z)	ahd. niuwi	nhd.	neu

In anderen Fällen wird /u̯/ vokalisiert:

cf. ahd. melo	- Gen.: meluues	ahd. snēo → snē	- Gen.: snēuues
wg. *melu̯a	- Gen.: *melu̯es	wg. *snaiu̯a	- Gen.: *snaiu̯es
germ. *melu̯a	- Gen.: *melu̯es	germ. *snaigʷaz	- Gen.: *snaigʷes

Zusatz:

Die Regel, nach der während der althochdeutschen Zeit im Wortinlaut nach langem Vokal und im Wortauslaut die bei der II. LV entstehenden langen stimmlosen Spiranten "vereinfacht" werden, gilt allgemein:

lange Konsonanten werden im Althochdeutschen nach langen Vokalen (oder Diphthongen) sowie vor der Wortgrenze gekürzt (d. h. "Doppelkonsonanz" wird in diesen Positionen beseitigt):

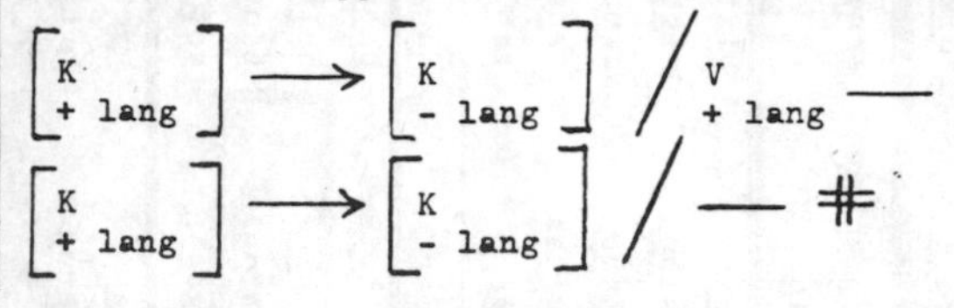

cf. ahd.	slāffen ⟶ slāfen
	lāzzen ⟶ lāzen
	leitten ⟶ leiten
	Gen. skiffes Nom. skif
	Gen. bizzes Nom. biz

D a s   a l t h o c h d e u t s c h e   K o n s o n a n t e n s y s t e m   (bairisch):

Verschlußlaute und Spiranten:	[p]	/t/	[k]	Nasale:	/m/	/n/
	[b]	/d/	[g]	Liquide:	/r/	/l/
	/pf/	/tz/	/kx/	Halbvokale:	/i̯/	/u̯/
	/f/	/ʒ/	/x/			
	/v/	/ṡ/	/h/			

Entwickelungen vom Althochdeutschen zum Mittelhochdeutschen:

(1) Einige Teilergebnisse der II. LV werden rückgängig gemacht, so die Verschiebungen /b/ ⟶ /p/ und /g/ ⟶ /k/ im Alemannischen und Bairischen:

Beispiele: s. S. 46

Die Verschiebung /k/ ⟶ /kx/ , die heute in das südliche Oberdeutsch ("Alpendeutsch") zurückgedrängt ist, ist dagegen in vielen oberdeutschen Handschriften aus mittelhochdeutscher Zeit mit einiger Regelmäßigkeit durchgeführt; nur bei bestimmten, in die höfische Sphäre verweisenden Wörtern, erscheint häufig /k/ statt /kx/ :

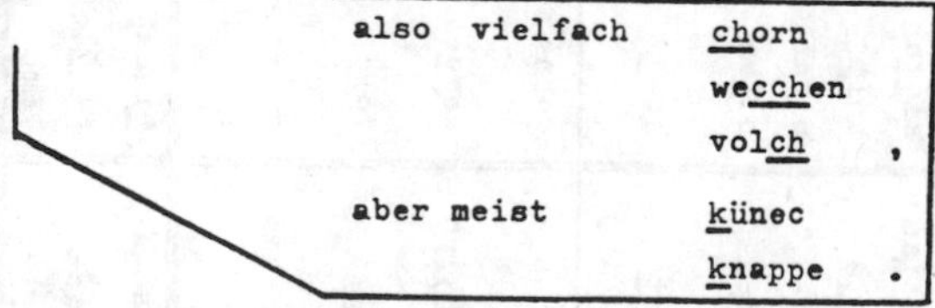
also vielfach chorn
wecchen
volch ,
aber meist künec
knappe .

Die Positionen der stimmlosen Verschlußlaute /p/ und /k/ im mhd. Konsonantensystem werden jedoch vor allem durch Lehnwörter aus dem Lateinischen und Französischen ausgefüllt:

cf. mhd. palas, prīs, povel
aus altfrz. palais, pris, poble

germ.	westgerm.	altengl.	neuengl.	altsächs.	althochdeutsch: ripuarisch	moselfrk.	rheinfrk.	süd-rheinfrk.	ostfrk.	alemannisch	bairisch	mittel-hochdeutsch	neu-hochdeutsch
*paþaz	*paþa	pæþ	path	--	path	path	pad	pad	phad	phad	phad	pfat	Pfad
*skapiana	*skappian	scieppan		skeppian	skeppen	skeppen	skeppen	skephen	skephen	skephen	skephen	schepfen	schöpfen
*-lempana	*-limpan	(ge)limpan	to limp	(gi)limpan	(gi)limpan	(gi)limpan	(gi)limpan	(gi)limphan	(gi)limphan	(gi)limphan	(gi)limphan	(ge)limpfen	(glimpflich)
*helpana	*helpan	helpan	to help	helpan	helpan	helpan	helphan → helfan	helphan → helfan	helphan → helfan	helphan → helfan	helphan → helfan	helfen	helfen
*þurpa	*þorpa	þorp	thorp	thorp	thorp	thorp	thorph → thorf	thorph → thorf	thorph → thorf	dorph → dorf	dorph → dorf	dorf	Dorf
*apan-	*apan-	apa	ape	apo	affo	affo	affo	affo	affo	affo	affo	affe	Affe
*slē$_1$pana	*slē$_1$pan	slǣpan	to sleep	slāpan	slāffan → slāfan	slāffan → slāfan	slāffan → slāfan	slāffan → slāfan	slāffan → slāfan	slāffan → slāfan	slāffan → slāfan	slāfen	schlafen
*skipa	*skipa *skepa	skip	ship	skip skep	skif skef	skif skef	skif skef	skif skef	skif skef	skif skef	skif skef	schif schef	Schiff
*tehun, -an	*tehan	tīen, tȳn	ten	tehan	zehan	zehan	zehan	zehan	zehan	zehan	zehan	zehen	zehn
*sitjana	*sittjan	sittan	to sit	sittian	sitzen	sitzen	sitzen	sitzen	sitzen	sitzen	sitzen	sitzen	sitzen
*hulta	*holta	holt	--	holt	holz	holz	holz	holz	holz	holz	holz	holz	Holz
*uitana	*uitan	witan	--	witan	uuizzan	uuizzan	uuizzan	uuizzan	uuizzan	uuizzan	uuizzan	wizzen	wissen
*beitana	*bītan	bītan	to bite	bītan	bīzzan → bīzan	bīzzan → bīzan	bīzzan → bīzan	bīzzan → bīzan	bīzzan → bīzan	bīzzan → bīzan	bīzzan → bīzan	bīzen	beißen
*h^{u}at	*huat	hwat	what	hwat	huuat → uuat	huuat → uuat	huuaz → uuaz	huuaz → uuaz	huuaz → uuaz	huuaz → uuaz	huuaz → uuaz	waz	was
*kurna	*korna	corn	corn	korn	korn	korn	korn	korn	korn	chorn	chorn	korn, chorn	Korn
*uakjana	*uakkjan	weccean	--	weckian	uuecken	uuecken	uuecken	uuecken	uuecken	uuecchen	uuecchen	wecken, wecchen	wecken
*fulka	*folka	folc	folk	folk	folk	folk	folk	folk	folk	folch	folch	volk, volch	Volk
*sprekana	*sprekan	sprecan	--	sprekan	sprehhan	sprehhan	sprehhan	sprehhan	sprehhan	sprehhan	sprehhan	sprechen	sprechen
*eka, *ik	*ik	ic	(I)	ik	ih	ih	ih	ih	ih	ih	ih	ich	ich
*bendana	*bindan	bindan	to bind	bindan	bindan	bindan	bindan	bintan	bintan	pintan	pintan	binden	binden
*sebjō-	*sibbjō-	sibb	--	sibbia	sibba	sibba	sibba	sibba	sibba	sippa	sippa	sippe	Sippe
*lambaz	*lamba	lamb	lamb	lamb	lamb	lamb	lamb	lamb	lamb	lamb	lamp	lamp	(Lamm)
*gebana	*geban	giefan	(to give)	geban	gevan	gevan	geban	geban	geban	keban	kepan	geben	geben
*gab	*gab	geaf	(gave)	gaf	gaf	gaf	gab	gab	gab	kab	kap	gap	gab [p]
*dagaz	*daga	dæg	day	dag	dach	dach	dag	dag	tag	tac	tac	tac	Tag
*bidjana	*biddian	biddan	to bid	biddian	bidden	bidden	bitten	bitten	bitten	pitten	pitten	bitten	bitten
*haldana	*haldan	healdan	to hold	haldan	haldan	haldan	haldan	haltan	haltan	haltan	haltan	halten	halten
*beudana	*beodana	bēodan	to bid	biodan	biodan	biodan	biodan	biotan	biotan	piotan	piotan	bieten	bieten
*guda	*goda	god	god	god	got	got	got	got	got	kot	kot	got	Gott
*gastiz	*gasti	giest	(guest)	gast	gast	gast	gast	gast	gast	kast	kast	gast	Gast
*hrugja	*hruggia	hrycg	ridge	hruggi	hruggi → ruggi	hruggi → ruggi	hruggi → ruggi	hruggi → ruggi	hruggi → ruggi	hrucki → ruggi	hrucki → ruggi	rücke	Rücken
*steigana	*stīgan	stīgan	--	stīgan	stīgan	stīgan	stīgan	stīgan	stīgan	stīgan	stīkan	stīgan	steigen
*mag	*mag	mæg	may	mag	mach	mach	mag	mag	mag	mac	mac	mac	mag [k]

mhd. kompān, kastelān

aus altfrz. compain, castelain

(2) Weitgehend rückgängig gemacht sind auch die Verschiebungen /nd/ ⟶ /nt/ und (seltener) /ld/ ⟶ /lt/ :

cf. ahd.		gegenüber mhd.	
nennen	- nante	nennen	- nande
brennen	- brante	brennen	- brande
wānen	- wānte	wænen	- wānde
lant, lantes		lant, landes	
dulten		dulden	
aber: haltan		halten	

(3) Wichtigste Neuerung im mhd. Konsonantismus ist die A u s l a u t v e r h ä r t u n g :
danach verlieren stimmhafte Geräuschlaute vor der Wortgrenze den Stimmton:

[+ Geräuschlaut] ⟶ [- stimmhaft] / —— #

Diese Regel gilt auch im Neuhochdeutschen - hier ist sie allerdings orthographisch meist nicht durchgeführt:

cf. mhd.		nhd.	
legen	- lac	legen [g]	- lag [k]
geben	- gap	geben [b]	- gab [p]
lesen	- las	lesen [z]	- las [s]
tac	- tages	Tag [k]	- Tages [g]
walt	- waldes	Wald [t]	- Waldes [d]
lant	- landes	Land [t]	- Landes [d]

(4) Neu im mhd. Konsonantensystem ist die stimmlose Spirans /š/ , die aus der biphonemischen Gruppe /s + k/ entsteht:

/s + k/ ⟶ /š/

cf. ahd. skif - mhd. schif - nhd. Schiff
ähnlich:
altengl. skip - neuengl. ship

(5) Häufig begegnet Konsonantenschwund zwischen Vokalen mit nachfolgender Kontraktion:

cf. mhd.		
liget ⟶ līt	(nhd. liegt)	[aber: schwäb. /lẹịd/]
gibet ⟶ gīt	(nhd. gibt)	[aber: schwäb. /gẹịd/]
maget ⟶ meit	(nhd. Magd neben:) Maid	
treget ⟶ treit	(nhd. trägt)	[aber: schwäb. /draịd/]
seget ⟶ seit	(nhd. sagt)	[aber: schwäb. /saịd/]
sehen ⟶ sēn	(nhd. sehen)	
stahel ⟶ stāl	nhd. Stahl	
gemahel ⟶ gemāl	nhd. Gemahl	
lāzen ⟶ lān	(nhd. lassen)	[aber: schwäb. /laũ/]

Im Neuhochdeutschen haben sich diese Kontraktionen in den seltensten Fällen durchgesetzt (Systemausgleich !).

D a s m i t t e l h o c h d e u t s c h e K o n s o n a n t e n s y s t e m :

Verschlußlaute und Spiranten:						
/p/	/t/		/k/	Nasale:	/m/	/n/
/b/	/d/		/g/	Liquide:	/r/	/l/
/pf/	/tz/		/kx/	[Halbvokale:	/i̯/	/u̯/]
/f/	/z̦/	/š/	/x/			
/v/	/ṡ/		/h/			

Entwickelungen vom Mittelhochdeutschen zum Neuhochdeutschen:

Die wichtigsten Veränderungen des Konsonantismus beim Übergang vom Mittelhochdeutschen zum Neuhochdeutschen betreffen die mhd. Spiranten und Halbvokale:

(1) Da auf Grund unterschiedlicher Distributionen Kollisionsmöglichkeiten gering sind, wird die Opposition zwischen den beiden Spirantenreihen des Mittelhochdeutschen (/f/ /z̦/ /š/ /x/ und /v/ /ṡ/ /h/) im Neuhochdeutschen beseitigt:

-- mhd. /f/ und /v/ fallen in nhd. /f/ zusammen:

/f/ ⟶ /f/
/v/ ⟶ /f/

cf. mhd. slāfen ⟶ nhd. schlafen
mhd. grāve ⟶ nhd. Graf(en)

Nur graphisch bleibt ⟨v⟩ in einzelnen Fällen erhalten (Vater , Vogel , Veilchen).

-- Mhd. /ṡ/ fällt in einigen Anlautverbindungen mit mhd. /š/ in nhd. /š/ zusammen:

/ṡ + l/ ⟶ /šl/
/ṡ + m/ ⟶ /šm/
/ṡ + n/ ⟶ /šn/
/ṡ + u̯/ ⟶ /šv/
/ṡp/ ⟶ /šp/
/ṡt/ ⟶ /št/

cf. mhd. slange ⟶ nhd. Schlange
mhd. smerz ⟶ nhd. Schmerz
mhd. snel ⟶ nhd. schnell
mhd. swarz ⟶ nhd. schwarz
mhd. spil ⟶ nhd. Spiel [šp]
mhd. stein ⟶ nhd. Stein [št]

-- Im Wortin- und -auslaut fallen mhd. /ṡ/ und /z̧/ nach /r/ in nhd. /š/ zusammen:

/r + ṡ/ ⟶ /rš/
/r + z̧/ ⟶ /rš/

cf. mhd. kirse ⟶ nhd. Kirsche
mhd. hirz ⟶ nhd. Hirsch

-- Mhd. /ṡ/ erscheint im Neuhochdeutschen an- und inlautend vor Vokalen als /z/ ; mhd. /ṡṡ/ sowie mhd. /ṡ/ in den Inlautverbindungen /ṡp/ und /ṡt/ , ebenso mhd. /ṡ/ im Wortauslaut sind dagegen mit mhd. /z̧/ in nhd. /s/ zusammengefallen:

/ṡ/ ⟶ /z/
/ṡṡ/ ⟶ /s/
/z̧/ ⟶ /s/
/ṡp/ ⟶ /sp/ / V —
/ṡt/ ⟶ /st/ / V —

cf. mhd.	nhd.
sagen	sagen [z]
wise	Wiese [z]
lesen - las	lesen [z] - las [s]
lispen	lispeln [sp]
meister	Meister [st]
missetāt	Missetat [s]
wizzen	wissen [s]
bīzen	beißen [s]

-- /h/ bleibt im Neuhochdeutschen nur im Wortanlaut erhalten:

cf. mhd. herze nhd. Herz

-- In der biphonemischen Gruppe /ht/ sowie im Wortauslaut, wo es stets als [x] realisiert wurde, ist mhd. /h/ im Neuhochdeutschen mit /x/ zusammengefallen:

cf. mhd. naht, ahte nhd. Nacht, acht
mhd. hōh nhd. hoch

-- In der biphonemischen Gruppe /hs/ erscheint mhd. /h/ im Neuhochdeutschen als /k/ :

cf. mhd. sehs nhd. sechs [ks]

-- Inlautend zwischen Vokalen ist /h/ im Neuhochdeutschen geschwunden:

cf. mhd. sehen nhd. sehen /zẹːən/
mhd. sihest, sihet nhd. siehst, sieht /ziːst/ , /ziːt/
mhd. zīhen nhd. zeihen /tsaiən/
mhd. ziehen nhd. ziehen /tsiːən/

(2) Nach der Verminderung des mhd. Spirantensystems um einen Teil der lenisierten ("halbstimmhaften") Spiranten werden die Halbvokale des Mittelhochdeutschen (/i̯/ /u̯/) zu Geräuschlauten verschoben:

-- /i̯/ und /u̯/ werden im Wortanlaut zu stimmhaften Spiranten:

/i̯/ ⟶ /j/
/u̯/ ⟶ /v/

cf. mhd. jāmer [i̯] - nhd. Jammer [j]
mhd. wazzer [u̯] - nhd. Wasser [v] (engl. water [u̯])

-- In den Phonemfolgen /r + i̯/ , /r + u̯/ , /l + u̯/ werden sie dagegen zu stimmhaften Verschlußlauten:

/r + i̯/ ⟶ /r + g/
/r + u̯/ ⟶ /r + b/
/l + u̯/ ⟶ /l + b/

cf. mhd. verie, scherie - nhd. Ferge, Scherge
mhd. varwe, narwe - nhd. Farbe, Narbe
mhd. swalwe - nhd. Schwalbe

Intervokalisch, wo sie die Funktion von Gleitlauten hatten, sind /i̯/ und /u̯/ im Neuhochdeutschen geschwunden:

cf. mhd. dræjen, næjen - nhd. drehen /drẹːən/ , nähen /næːən/
mhd. ēwe, ruowe, fröuwen - nhd. Ehe /ẹːə/ , Ruhe /ruːə/ , freuen /froiən/

(3) Die langen Konsonanten des Mittelhochdeutschen sind im Neuhochdeutschen beseitigt:

cf. mhd.	gegri<u>ff</u>en	→	nhd. gegriffen	/gəgri<u>f</u>ən/
mhd.	gebi<u>zz</u>en	→	nhd. gebissen	/gəbi<u>s</u>ən/

Das neuhochdeutsche Konsonantensystem:

Verschlußlaute und Spiranten:	/p/	/t/		/k/		
	/b/	/d/		/g/		
	/pf/	/ts/				
	/f/	/s/	/š/	/x/		
	/v/	/z/		/j/		

Nasale:	/m/	/n/
Liquide:	/r/	/l/
Hauchlaut:	/h/	

Erläuterungen zu den Kapiteln 'Historische Phonologie (1): Vokalismus' und 'Historische Phonologie (2): Konsonantismus'

(1) Der vorstehende Abriß der 'Historischen Phonologie' der modernen deutschen Standardsprache geht, in der Tradition des 'klassischen' Strukturalismus, aus von einer Differenzierung des Begriffs Lautwandel in die Begriffe

-- phonetischer Wandel und
-- phonologischer Wandel.

Das Verhältnis zwischen phonetischem und phonologischem Wandel ist dabei so gefaßt, daß phonetischer Wandel als Veränderung der Realisierungsnorm eines Phonems phonologischen Wandel als Veränderung der Phonklassen (Phoneme) nach sich zieht.

(2) Lautwandel ist also immer zunächst phonetischer Art, d. h. jedem phonologischen Wandel geht (im Rahmen der hier vertretenen Auffassung) eine Phase bedingter Allophonbildung voraus. Es handelt sich mithin um die Abfolge

-- phonetischer Wandel, verbunden mit bedingter Allophonbildung -
-- phonologischer Wandel, verbunden mit einer Phonologisierung der Allophone.

Die Annahme einer Phase der Allophonbildung, die der Phonologisierungsphase vorausgeht, bedeutet zugleich, daß Lautwandel sich allmählich, nicht sprunghaft, vollzieht.

(3) Der Begriff der bedingten Allophonbildung setzt eine weitere Differenzierung des Begriffs Lautwandel voraus, nämlich die Unterscheidung

-- kombinatorischer Lautwandel und
-- spontaner Lautwandel,

eine Unterscheidung, die auf unterschiedlichen 'Penetrations-Weiten' (LAUSBERG) des Lautwandels beruht: "Der (sei es nur phonetische, sei es phonologisierte) Lautwandel bleibt, bei geringerer Penetrations-Weite, kombinatorisch bedingt" (Heinrich LAUSBERG, Romanische Sprachwissenschaft, Bd I, Einleitung und Vokalismus, 3. Aufl., Berlin 1969, S. 125); spontaner Lautwandel zeichnet sich ihm gegenüber nur durch das "Fehlen einer einschränkenden kombinatorischen Bedingung" aus (ib.).

(4) In der Geschichte des deutschen Vokalismus finden sich die folgenden Typen des phonetischen Wandels:

1. Assimilation
   (partiell versus total, progressiv versus regressiv versus reziprok, Kontaktassimilation versus Fernassimilation)
2. Dissimilation
3. Umlaut
   als Sonderfall der Assimilation
4. Monophthongierung
   als Sonderfall der Assimilation
5. Diphthongierung
   als Sonderfall der Dissimilation
6. Hebung der Artikulationsbasis (Öffnung)
7. Senkung der Artikulationsbasis (Schließung)
8. Rundung
9. Entrundung
10. Dehnung
11. Kürzung.

Dabei handelt es sich bei den Typen (1) - (9) um

-- Wandel der Vokalqualität,

bei den Typen (1o) und (11) um

-- Wandel der Vokalquantität.

Eine entsprechende systematische Übersicht über die Typen des phonetischen Wandels, die sich in der Geschichte des deutschen Konsonantismus finden, ist nicht möglich, da eine geeignete Terminologie bisher fehlt. Nur für einzelne Erscheinungen dieser Art gibt es gebräuchliche Termini; z. B.

-- R h o t a z i s m u s (Wandel von z zu r),
-- L e n i s i e r u n g (Schwächung der Stimmenergie),
-- A f f r i z i e r u n g (Überführung eines Verschlußlautes in eine Affrikata).

Diese Typologie des phonetischen Wandels ist insofern inhomogen, als sie nicht differenziert zwischen einer Klassifizierung nach dem Ergebnis des Prozesses (z. B. Monophthongierung, Diphthongierung usw.) und einer Klassifizierung, die versucht, die Prozesse nach der Art ihres Ablaufs zu ordnen (z. B. Assimilation, Dissimilation usw.).

(5) Einzelne Typen des phonetischen Wandels wie Assimilation und Dissimilation, Rundung und Entrundung, Dehnung und Kürzung treten häufig nur in Form des 'sporadischen Lautwandels' oder

-- p h o n o t a k t i s c h e n W a n d e l s

auf. Grundsätzlich gilt das für die in der systematischen Übersicht nicht aufgeführten Erscheinungen der

-- M e t a t h e s e und der
-- H a p l o l o g i e .

Die Erscheinungen des phonotaktischen Wandels sind in den beiden Abrissen der historischen Phonologie des Deutschen nicht berücksichtigt.

(6) Der phonologische Wandel wird in den meisten strukturalistischen Theorien des Lautwandels in drei Typen unterteilt:

1. P h o n e m v e r s c h i e b u n g oder
D i s t a n z i e r u n g , auch
U m p h o n o l o g i s i e r u n g
2. P h o n e m s p a l t u n g oder
V a r i a n t e n p h o n o l o g i s i e r u n g
3. P h o n e m v e r s c h m e l z u n g oder
P h o n e m z u s a m m e n f a l l oder
K o l l i s i o n .

Von der Phonemverschmelzung unterschieden werden kann die

-- p a r t i e l l e P h o n e m v e r s c h m e l z u n g (teilweiser Zusammenfall),

bei der es sich lediglich um eine Veränderung von Distributionen handelt. Zur partiellen Phonemverschmelzung gehört auch der Schwund eines Phonems in bestimmten Distributionen, sofern er als Verschmelzung mit einem Phonem /Null/ aufgefaßt wird.

Der Zusammenhang zwischen phonetischem und phonologischem Wandel ist besonders deutlich greifbar bei den verschiedenen Umlautprozessen vom Germanischen zum Mittelhochdeutschen.

(7) Zwischen einzelnen lautgeschichtlichen Prozessen können innere Zusammenhänge bestehen, die durch den Systemcharakter des Vokal- und Konsonantensystems bedingt sind. Solche Zusammenhänge, zuerst von A. MARTINET erkannt, werden klassifiziert als

-- s t r u k t u r e l l e r S c h u b
(c h a î n e d e p r o p u l s i o n , p u s h c h a i n) und

-- s t r u k t u r e l l e r S o g
(c h a î n e d e t r a c t i o n , d r a g c h a i n) .

Systemcharakter bedeutet dabei vor allem die Stabilität der Elementbeziehungen untereinander; jeder Prozeß phonologischen Wandels, der die Stabilität, und damit auch die Funktionalität, des Systems beeinträchtigt, zieht, mehr oder weniger automatisch, in der Art einer Kettenreaktion, einen zweiten Prozeß nach sich, der die gestörte Ordnung wieder herstellt.

Beispiele solcher Zusammenhänge sind die althochdeutschen Monophthongierungs- und Diphthongierungsprozesse (die Monophthongierung von germ. /ai/ und /au/ zu ahd. /ē/ und /ō/ in bestimmten Distributionen löst die althochdeutsche Diphthongierung von /$\bar{e}_2$/ und /ō/ zu /ie/ und /uo/ , teilweise über Zwischenstufen, aus; struktureller Schub) und die althochdeutsche Umstrukturierung des germanischen Obstruentensystems (die Verschiebung von germ. /t/ zu ahd. /ʒ/ und /tz/ z. B. zieht die Verschiebung von (west)germ. /d/ zu ahd. /t/ nach sich, diese wiederum die Verschiebung von germ. /þ/ über /đ/ zu ahd. /d/ ; struktureller Sog).

(8) Ganz allgemein bedeutet das: Lautgeschichte kann aufgefaßt werden als ein in sich schlüssiger Zusammenhang einzelner Erscheinungen , ein Zusammenhang, der durch ein vom System her bedingtes Streben nach Harmonie und Funktionalität hergestellt wird. Der Einfluß äußerer Faktoren (wie Substrate, Superstrate und Adstrate; klimatische Veränderungen u.ä.) bleibt bei einer solchen Auffassung unberücksichtigt (seine Existenz gleichwohl unbestritten).

Lautgeschichte wird damit f i n a l i s t i s c h erklärt, nicht k a u s a l i s t i s c h im Sinne eines naturwissenschaftlichen Zusammenhanges von Ursachen und Wirkungen.

Historische Phonologie (3): Der indogermanische Ablaut und die Vorgeschichte des indogermanischen Vokal- und Konsonantensystems

Der kurze Abriß der historischen Phonologie des Deutschen ging von einem rekonstruierten indogermanischen Vokal- und Konsonantensystem aus:

Vokalsystem:

kurze Vokale:	lange Vokale:	Diphthonge:
/i/ /u/	/ī/ /ū/	
/e/ /ə/ /o/	/ē/ /ō/	/ei/ /oi/ /eu/ /ou/
/a/	/ā/	/ai/ /au/

Dazu kommt die Gruppe der silbischen Nasale und Liquiden:

/m̥/ /n̥/ /r̥/ /l̥/

Konsonantensystem:

Verschlußlaute:

/p/ /t/ /k/ /$q^{u̯}$/
/b/ /d/ /g/ /$g^{u̯}$/
/bh/ /dh/ /gh/ /$g^{u̯}h$/

Spirans:

/s/

Nasale: /m/ /n/

Liquide: /r/ /l/

Halbvokale: /i̯/ /u̯/

Daß dieses rekonstruierte indogermanische Lautsystem selbst wiederum nur als Ergebnis komplizierter historischer Prozesse gewertet werden kann, ergibt sich aus mehreren Sachverhalten:

Zwischen dem indogermanischen Vokalsystem und dem indogermanischen Konsonantensystem gibt es "Überschneidungen", insofern sich eine Gruppe von Lauten nachweisen läßt, die sowohl in silbentragender Funktion (als vokalische Phoneme) als auch in nicht-silbentragender Funktion (als konsonantische Phoneme) auftreten. Es handelt sich um die

Halbvokale /i̯/ und /u̯/ bzw. die kurzen Vokale /i/ und /u/

und um die

Nasale und Liquiden /m/ /n/ /r/ /l/ (nicht-silbisch)
bzw. /m̥/ /n̥/ /r̥/ /l̥/ (silbisch) .

Aus diesen Überschneidungen kann geschlossen werden, daß die Zweiteilung des indogermanischen Lautsystems in Vokale und Konsonanten eine relativ junge Erscheinung ist; für den ursprünglichen Zustand ist eine Dreiteilung in

Vokale (mit silbentragender Funktion),
Konsonanten (nicht silbentragend) und
Resonanten (je nach Distribution silbentragend oder nichtsilbentragend)

anzunehmen.

Dieses "proto-indogermanische" Lautsystem kann vorläufig (!) folgendermaßen rekonstruiert werden:

Vokale:

/ī/ /ū/
/e/ /ə/ /o/ /ē/ /ō/
/a/ /ā/

Auf die Diphthonge /ei/ /ai/ /oi/ und /eu/ /au/ /ou/ kann jetzt verzichtet werden, da sie sich als biphonemische Folgen aus /e/ /a/ /o/ und den Resonanten /i/ /u/ erklären lassen.

Resonanten:

/m/ /n/
/r/ /l/
/i/ /u/

Konsonanten:

/p/ /t/ /k/ /q^{u}/
/b/ /d/ /g/ /g^{u}/
/bh/ /dh/ /gh/ /$g^{u}h$/
/s/

Einen weiteren Hinweis auf die Vorgeschichte des indogermanischen Lautsystems ergibt folgendes Faktum:

Alle indogermanischen Sprachen haben einen Typus der Vokalalternation gemeinsam, der damit bereits für das hypothetische Indogermanisch angesetzt werden muß und seine Erklärung nur in der Vorgeschichte des indogermanischen Lautsystems finden kann (Lautwechsel als Resultat eines Lautwandels). Dieser gemeinindogermanische Typus der Vokalalternation ist der

A b l a u t .

Es handelt sich um einen regelmäßigen Wechsel bestimmter Vokale zwischen verschiedenen Formen eines grammatischen Paradigmas (in der Flexion) und zwischen etymologisch zusammengehörigen Wörtern (in der Wortbildung);

cf. als Beispiele für Ablaut in der Flexion:

nhd. binden -- band -- gebunden
trinken -- trank -- getrunken
beißen -- biß, gebissen

oder
lat. legō "ich lese" -- lēgī "ich habe gelesen"

oder
gr. leipō -- léloipa -- élipon
"ich lasse zurück" "ich habe zurückgelassen" "ich ließ zurück"

als Beispiele für Ablaut in der Wortbildung:

nhd. Binde -- Band -- Bund
trinken -- Trank -- Trunk
beißen -- Biß

oder
lat. tegō "ich decke" -- toga "Obergewand" -- tēgula "Ziegel"

oder
gr. légō "ich spreche" -- lógos "Wort" .

Zwei Typen des Ablauts lassen sich dabei unterscheiden:

q u a l i t a t i v e r   A b l a u t ("Abtönung") --

es handelt sich um die Alternation zwischen Vokalen verschiedener Klangfarbe; häufigster Fall ist die

A l t e r n a t i o n /e/ -- /o/

cf. lat. tegō -- toga
gr. légō -- lógos
oder
lat. pedis "des Fußes" gegenüber gr. podós "dass." ;

q u a n t i t a t i v e r   A b l a u t ("Abstufung") --

es handelt sich um die Alternation zwischen Vokalen verschiedener Quantität; wichtigste Fälle

A l t e r n a t i o n /e/ -- /ē/
A l t e r n a t i o n /o/ -- /ō/

cf. lat. lego -- lēgī
tego -- tēgula

oder
lat. Gen. pedis "des Fußes" gegenüber Nom. pēs "Fuß" und entsprechend
gr. Gen. podós "des Fußes" gegenüber Nom. pṓs "Fuß" (dorisch) .

Hierzu gehört auch die

A l t e r n a t i o n /e/ -- /Null/

cf. lat. genuī "ich habe gezeugt" -- gi-gnō "ich zeuge"
oder
lat. 3. Sg. est gegenüber 3. Pl. sunt und Konjunktiv sīm, sīs usw. ; entsprechend
nhd. 3. Sg. ist gegenüber 3. Pl. sind und Konjunktiv sei, seiest usw.

Aufgrund solcher Alternationen lassen sich die indogermanischen Vokale zu bestimmten Proportionsgruppen ordnen; es ergeben sich die

A b l a u t r e i h e n .

Wichtigste Ablautreihe ist die auf /e/ aufbauende Proportionsgruppe

/e/ -- /o/ -- /ē/ -- /ō/ -- /Null/ ;

dabei heißt

/e/	G r u n d s t u f e	GSt	(auch: V o l l s t u f e),
/o/	A b t ö n u n g s s t u f e	ASt	(auch: V o l l s t u f e (a b g e t ö n t)),
/ē/	D e h n s t u f e	DSt ,	
/ō/	D e h n s t u f e (a b g e t ö n t)	DSt(A) ,	
/Null/	S c h w u n d s t u f e	SSt	(auch: N u l l s t u f e) .

Beispiele:

	GSt	ASt	DSt	DSt(A)	SSt
idg. Wurzel *ped- "Fuß; gehen"	*ped-	*pod-	*pēd-	*pōd-	*pd- = *bd-
	lat. pedis "des Fußes" peda "Fußsspur"		lat. pēs "Fuß"		
	gr. pédon "Boden" pédē "Fußfessel"	gr. podós "des Fußes"		gr. pōs "Fuß" (dorisch)	gr. epí-bdai "die (einem Fest) folgenden (Tage)"
	ne. fetter "Fußfessel"			ne. foot "Fuß"	
	(nhd. Fessel)			nhd. Fuß	
idg. Basis *pəter- "Vater"	*pəter-	*pətor-	*pətēr-	*pətōr-	*pətr-
	gr. patéra "den Vater"	gr. eu-pátora "den Edelgeborenen"	gr. patḗr "Vater"	gr. eu-pátōr "edelgeboren"	gr. patrós "des Vaters"

Durch Kombination des Grundvokals /e/ mit den Resonanten /i/ /u/ /m/ /n/ /r/ /l/ ergeben sich folgende Varianten dieser Ablautreihe:

	GSt	ASt	DSt	DSt(A)	SSt
/e/	/e/	/o/	/ē/	/ō/	/Null/
/e + i/	/ei/	/oi/	—	—	/i/
/e + u/	/eu/	/ou/	—	—	/u/
/e + m/	/em/	/om/	/ēm/	/ōm/	/m̥/
/e + n/	/en/	/on/	/ēn/	/ōn/	/n̥/
/e + r/	/er/	/or/	/ēr/	/ōr/	/r̥/
/e + l/	/el/	/ol/	/ēl/	/ōl/	/l̥/

EXKURS I :

Die auf /e/ und seinen Kombinationen mit den Resonanten aufbauenden indogermanischen Ablautreihen bilden die Grundlage für die Stammbildung bei den

K l a s s e n **I - V** d e s S t a r k e n V e r b u m s

in den germanischen Sprachen. Entsprechend den Klassen des Starken Verbums in den germanischen Sprachen werden diese Ablautreihen als

A b l a u t r e i h e n 1 - 5

durchgezählt:

I. Klasse des Starken Verbums

1. Ablautreihe

Grundvokal /e/ + Resonant /i/					
idg.	/ei/	--	/oi/	--	/i/
germ.	/ei/	--	/ai/	--	/i/

cf.

idg.	*bheid-	*bhoid-	*bhid-	
germ.	*ƀeit-	*ƀait	*ƀit-	
ahd.	bîzzan	beiz	bizzum	/gibizzan
nhd.	beißen	(ich biß)	wir bissen/	gebissen

II. Klasse des Starken Verbums

2. Ablautreihe

Grundvokal /e/ + Resonant /u/					
idg.	/eu/	--	/ou/	--	/u/
germ.	/eu/	--	/au/	--	/u/

cf.

idg.	*bheugh-	*bhough-	*bhugh-	
germ.	*ƀeug-	*ƀaug-	*ƀug-	
ahd.	biogan (biugit)	boug	bugum	/gibogan
nhd.	biegen (er biegt)	(ich bog)	(wir bogen)/	gebogen

III. Klasse des Starken Verbums

3. Ablautreihe

Grundvokal /e/ + Nasal oder Liquida + Konsonant					
idg.	/emK/	--	/omK/	--	/m̥K/
	/enK/	--	/onK/	--	/n̥K/
	/erK/	--	/orK/	--	/r̥K/
	/elK/	--	/olK/	--	/l̥K/
germ.	/emK/	--	/amK/	--	/umK/
	/enK/	--	/anK/	--	/unK/
	/erK/	--	/arK/	--	/urK/
	/elK/	--	/alK/	--	/ulK/

cf.

idg.	*bhendh-	*bhondh-	*bhn̥dh-	
germ.	*ƀenđ-	*ƀanđ-	*ƀunđ-	
ahd.	bintan	bant	buntum	/gibuntan
nhd.	binden	band	(wir banden)/	gebunden
idg.	*u̯ert-	*u̯ort-	*u̯r̥t-	
germ.	*u̯erþ-	*u̯arþ-	*u̯urđ-	
ahd.	uuerdan (uuirdit)	uuard	uuurtum	/uuortan
nhd.	werden (er wird)	ich ward	wir wurden/	geworden

IV. Klasse des Starken Verbums

4. A b l a u t r e i h e

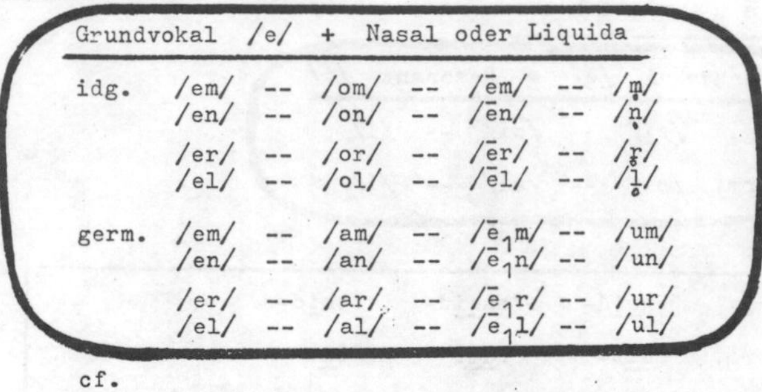

cf.

idg.	*bher-	*bhor-	*bhēr-	*bhr̥-
germ.	*ƀer-	*ƀar-	*ƀē$_1$r-	*ƀur-
ahd.	beran (birit)	bar	bārum	giboran
nhd.	gebären (sie gebiert)	ich gebar	wir gebaren	geboren

V. Klasse des Starken Verbums

5. A b l a u t r e i h e

Grundvokal /e/ + Konsonant

idg. /e/ -- /o/ -- /ē/ -- /e/

germ. /e/ -- /a/ -- /ē$_1$/ -- /e/

cf.

idg.	*seq^{u}-	*soq^{u}-	*sēq^{u}-	*seq^{u}-
germ.	*seh^{u}-	*sah^{u}-	*sē$_1$h^{u}-	*seh^{u}-
ahd.	sehan (sihit)	sah	sāhum	gisehan
nhd.	sehen (er sieht)	ich sah	wir sahen	gesehen

Sehr viel seltener als die auf /e/ aufbauende Ablautreihe und ihre Variationen durch Kombination von /e/ mit Resonanten sind die Ablautreihen, die auf den kurzen Vokalen /a/ und /o/ aufbauen:

/a/ -- /o/ -- /ā/ -- /ō/

/o/ -- /ō/

Beispiele:

	GSt	ASt	DSt	DSt(A)
idg. Wurzel *ag- "treiben, führen"	*ag-	*og-	*āg-	*ōg-
	lat. agō "führe" ager "Feld"		lat. amb-āgēs "Umgang"	
	gr. ágō "führe" agrós "Feld"	gr. ogmós "Furche"		gr. ag-ōgós "Führer" ag-ōgḗ "Führung"
	ai. ajati "führt" ajrá- "Feld"			
idg. Wurzel *oq^{u}- "sehen"	*oq^{u}-		*ōq^{u}-	
	gr. ópsomai "werde sehen"		gr. ōps "Gesicht"	

Auch die Grundvokale dieser Reihen lassen sich mit Resonanten kombinieren:

	GSt	ASt	DSt	DSt(A)	SSt
/a/	/a/	/o/	/ā/	/ō/	—
/a + i/	/ai/	/oi/	—	—	/i/
/a + u/	/au/	/ou/	—	—	/u/
/o/	/o/		/ō/		—
/o + i/	/oi/		—	—	/i/
/o + u/	/ou/		—	—	/u/

Beispiele:

	GSt	ASt	SSt
idg. Wurzel *aidh- "brennen"	*aidh-	*oidh-	*idh-
	gr. aíthos "Brand"		gr. itharós "hell"
	ai. edhas- "Brennholz"		ai. vi-idhrá- "hell"

Neben den Ablautreihen, die auf den kurzen Vokalen /e/ /a/ /o/ aufbauen, gibt es Ablautreihen mit den langen Vokalen /ē/ /ā/ /ō/ als Grundvokalen. Die Schwundstufen dieser langvokalischen Ablautreihen werden durch den "Murmelvokal" /ə/ dargestellt. Es handelt sich also um die drei Proportionsgruppen:

/ē/ -- /ō/ -- /ə/
/ā/ -- /ō/ -- /ə/
/ō/ — /ə/ .

Beispiele:

	GSt	ASt	SSt
idg. Wurzel *dhē- "setzen, stellen, legen"	*dhē-	*dhō-	*dhə-
	lat. fēcī "habe getan"		lat. faciō "tue"
	gr. tí-thēmi "setze, lege"	gr. thōmós "Haufen"	
	ne. deed	ne. to do	
	nhd. Tat	nhd. tun	
idg. Wurzel *bhā- "sprechen"	*bhā-	*bhō-	*bhə-
	lat. fārī "sprechen"; fātum "Göttersprruch"; fāma "Sage"		lat. fatērī "bekennen"
	gr. phāmí (dor.) "ich spreche"; phā́mā (dor.) "Rede"	gr. phōnḗ "Stimme"	gr. phamén "wir sprechen"
idg. Wurzel *dō- "geben"	*dō-		*də-
	lat. dōnum "Geschenk"		dare "geben"
	gr. dí-dōmi "gebe"; dôron "Geschenk"		

Auch hier sind Kombinationen der Grundvokale mit Resonanten möglich; als Schwundstufenvokale der Verbindungen von /ē/ /ā/ /ō/ mit den Halbvokalen /i/ /u/ ergeben sich dabei die langen Vokale /ī/ /ū/ :

	GSt	ASt	SSt
/ē/	/ē/	/ō/	/ə/
/ē + i/	/ē(i)/	/ō(i)/	/ī/
/ē + u/	/ē(u)/	/ō(u)/	/ū/
/ā/	/ā/	/ō/	/ə/
/ā + i/	/ā(i)/	/ō(i)/	/ī/
/ā + u/	/ā(u)/	/ō(u)/	/ū/
/ō/	/ō/		/ə/
/ō + i/	/ō(i)/		/ī/
/o + u/	/ō(u)/		/ū/

Beispiel:

	GSt / ASt	SSt
idg. Wurzel *pōi- "trinken"	*pō(i)-	*pī-
	lat. pōculum "Becher"; pōtus "Trank"	
	gr. pé-pōka "habe getrunken"; pōma "Trank"	gr. pīnō "trinke"

EXKURS II :

Die auf /a/ /o/ und /ē/ /ā/ /ō/ aufbauenden indogermanischen Ablautreihen bilden die Grundlage für die Stammbildung bei der

VI. K l a s s e d e s S t a r k e n V e r b u m s

in den germanischen Sprachen. Im Germanischen erscheint hier der Ablaut /a/ -- /ō/, wobei germanisch /a/ indogermanischem /a/ /o/ und /ə/, germanisch /ō/ indogermanischem /ā/ und /ō/ entsprechen kann. Man spricht hier von der

6 . A b l a u t r e i h e

im Germanischen.

VI. Klasse des Starken Verbums

6 . A b l a u t r e i h e

germ. /a/ --- /ō/ -- /ō/ -- /a/

cf.

germ.	*far-	*fōr-	*fōr-	*far-
ahd.	faran (ferit)	fuor	fuorum	gifaran
nhd.	fahren (er fährt)	ich fuhr	wir fuhren	gefahren

Die unterschiedliche Häufigkeit der einzelnen indogermanischen Ablautreihen - nicht nur die auf den kurzen Vokalen /a/ /o/, sondern auch die auf den Längen /ē/ /ā/ /ō/ aufbauenden Ablautreihen sind wesentlich seltener nachweisbar als die eine Reihe /e/ -- /o/ -- /ē/ -- /ō/ -- /Null/ - ist ein Anhaltspunkt dafür, daß die Reihen mit den Grundvokalen /a/ /o/ und /ē/ /ā/ /ō/ ursprünglich nur Varianten der Reihe mit Grundvokal /e/ waren. Darauf deutet auch die Struktur der Wurzeln und Wortstämme hin, als deren Grundvokale /a/ /o/ und /ē/ /ā/ /ō/ angesetzt werden müssen:

-- Grundvokal /a/ und seine Kombinationen mit Halbvokalen /ai/ /au/ begegnen nur im Wurzelanlaut und/oder in der Umgebung von Velaren:

cf. lat. avis; avus, avia; aqua; aper; arare; ab, ad, ante; argentum; agere, ager; capere, canere.

aevum, aetas; aestas; caecus; caesius; Caesar, caesaries.

auris, audire; aurum; augere, Augustus; caupo; caulis; claudere.

-- Grundvokal /o/ und seine Kombinationen mit Halbvokalen /oi/ /ou/ sind nur in ganz wenigen Fällen sicher nachweisbar; sie kommen nur im Wortanlaut und/oder in der Umgebung von Labialen und Labeovelaren vor:

cf. lat. odor, olere; odium, odire; oculus (*og^{u}-); opus, operare; ovis; potis; bōs (*g^{u}ou-s)

-- Die Grundvokale /ē/ /ā/ /ō/ finden sich besonders häufig im Wurzelauslaut:

cf. die Wurzel *dhē- "setzen, stellen, legen",
*sē- "säen",
*mē- "messen";
*bhā- "sprechen",
*stā- "stehen";
*dō- "geben" .

Einen Zusammenhang zwischen der Ablautreihe /e/ -- /o/ -- /ē/ -- /ō/ -- /Null/ und den auf den Grundvokalen /a/ /o/ und /ē/ /ā/ /ō/ Reihen stellt die

L a r y n g a l t h e o r i e

her. Sie operiert mit einer hypothetischen Gruppe von drei weiteren Resonanten, den L a r y n g a l e n **(Kehlkopflauten)**

/H_1/ /H_2/ /H_3/ oder

/$ə_1$/ /$ə_2$/ /$ə_3$/ ,

die sie für das Proto-Indogermanische ansetzt und als deren vokalischen Reflex im späteren indogermanischen Lautsystem sie den "Murmelvokal" /ə/ ansieht. Sie definiert

-- Grundvokal /a/ im Wurzelanlaut = /H_2 + e/ (in allen anderen Fällen kann /a/ als Variante von /e/ in der Umgebung bestimmter velarer Konsonanten aufgefaßt werden) ,

-- Grundvokal /o/ im Wurzelanlaut = /H_3 + e/ (in allen anderen Fällen kann /o/ als Variante von /e/ in der Umgebung bestimmter labialer und labeovelarer Konsonanten aufgefaßt werden) ,

-- Grundvokal /ē/ = /e + H_1/ ,

-- Grundvokal /ā/ = /e + H_2/ ,

-- **Grundvokal /ō/** = /e + H_3/ .

Da im Wurzelanlaut auch der Grundvokal /e/ vorkommt (z. B. in der Wurzel *ed- "essen" -- cf. lat. edere "essen" usw.), wird außerdem definiert:

-- Grundvokal /e/ im Wurzelanlaut = /H_1 + e/ .

Die Laryngaltheorie ist eine Hypothese, für deren grundsätzliche Richtigkeit jedoch einiges spricht:

-- Die Laryngaltheorie, deren Grundthesen bereits Ende des 19. Jh.s durch Ferdinand de Saussure entwickelt wurden, hat im 20. Jh. durch die Entdeckung des Hethitischen eine teilweise Bestätigung erfahren; insofern nämlich, als

Reste proto-indogermanischer Laryngale im Hethitischen

erhalten zu sein scheinen:

cf.

hethit. ḫanza "vorn", ḫantezzi "erster"	gegenüber	gr. antí, lat. ante
zu idg. *ant- = *H_2ent- ,		
hethit. ḫarkiš "weiß"	gegenüber	gr. argés "weiß", lat. argentum "Silber"
zu idg. *arg- = *H_2erg- ,		
hethit. paḫ-š- "schützen"	gegenüber	ai. pā- "schützen", lat. pā-scō "weiden"
zu idg. *pā- = *peH_2- .		

-- Für die grundsätzliche Richtigkeit der Laryngaltheorie spricht weiter, daß

vergleichbare Erscheinungen in anderen Sprachen

belegt sind, so vor allem in den semitischen Sprachen:

cf. etwa zu der Regel

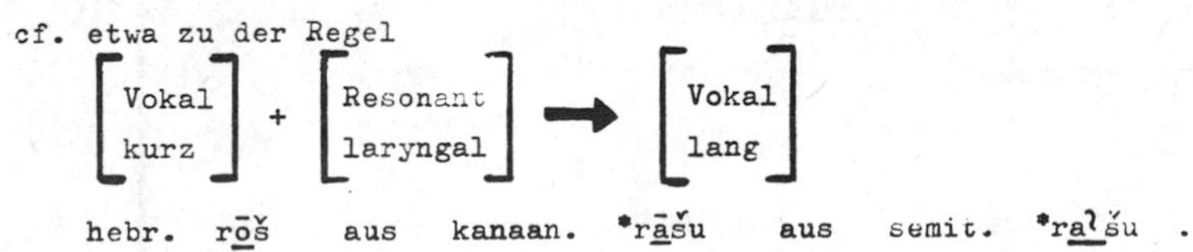

hebr. rōš aus kanaan. *rāšu aus semit. *raʾšu .

-- Vor allem aber spricht für die Laryngaltheorie die Schlüssigkeit, mit der alle indogermanischen Ablauterscheinungen auf die eine Proportionsgruppe /e/ -- /o/ -- /ē/ -- /ō/ -- /Null/ reduziert werden können. Hinzu kommt, daß sich bei Zugrundelegung der Laryngaltheorie für die indogermanischen Wortwurzel eine

einheitliche Wurzelstruktur

ergibt. Danach sind alle einfachen indogermanischen Wurzeln nach dem folgenden Muster gebaut:

,

wobei T ein beliebiger Konsonant oder Resonant sein kann (im Wurzelanlaut auch die Gruppe /s/ + Konsonant) und V den Grundvokal /e/ und seine Ablautvarianten darstellt.

Cf. etwa mit vergleichbaren Strukturen:

*ed-	"essen"	=	*H_1ed-	und	*ped-	"Fuß; gehen"
*ag-	"führen"	=	*H_2eg-	und	*leg-	"sammeln, lesen, sprechen"
*oq$^{u̯}$-	"sehen"	=	*H_3eq$^{u̯}$-	und	*seq$^{u̯}$-	"folgen, sehen"
*dhē-	"setzen"	=	*dheH_1-	und	*dheg$^{u̯}$h-	"brennen"
*bhā-	"sprechen"	=	*bheH_2-	und	*bher-	"tragen"
*stā-	"stehen"	=	*steH_2-	und	*stel-	"stehen, stellen"
*dō-	"geben"	=	*deH_3-	und	*dem-	"bauen" .

Neben diesen einfachen Wurzeln gibt es erweiterte Wurzeln, die nach folgenden Mustern gebaut sind:

T_1VRT_2- und T_1RVT_2- ,

wobei T ein beliebiger Konsonant oder Resonant sein kann (im Wurzelanalaut auch die Gruppe /s/ + Konsonant), R stets ein Resonant sein muß und V den Grundvokal /e/ und seine Ablautvarianten darstellt.

Cf. etwa die folgenden, einigen germanischen Starken Verben der Klassen I - III zugrundeliegenden, indogermanischen Wurzeln

*bheid-	"beißen"	(Klasse I)
*bheugh-	"biegen"	(Klasse II)
*bhendh-	"binden"	(Klasse III)
*u̯ert-	"wenden"	(Klasse III)

oder etwa

*bhreg-	"brechen"
*spreg-	"sprechen"

oder -- mit Laryngalen --

*aidh-	"brennen"	=	*H_2eidh-
*pōi-	"trinken"	=	*peH_3i-

.

Schließlich gibt es noch erweiterte Wurzeln des Typs

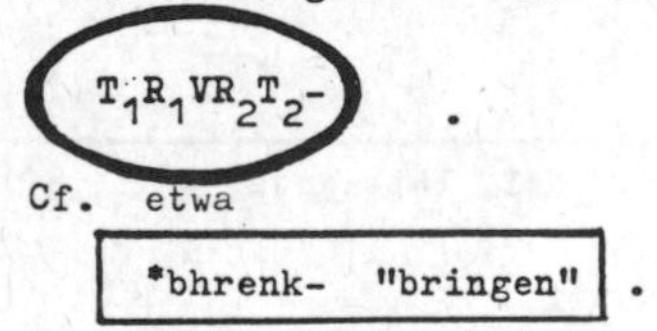

.

Cf. etwa

*bhrenk- "bringen"

.

Dabei lassen sich erweiterte Wurzeln häufig auf einfache Wurzeln des Typs T_1VT_2 zurückführen:

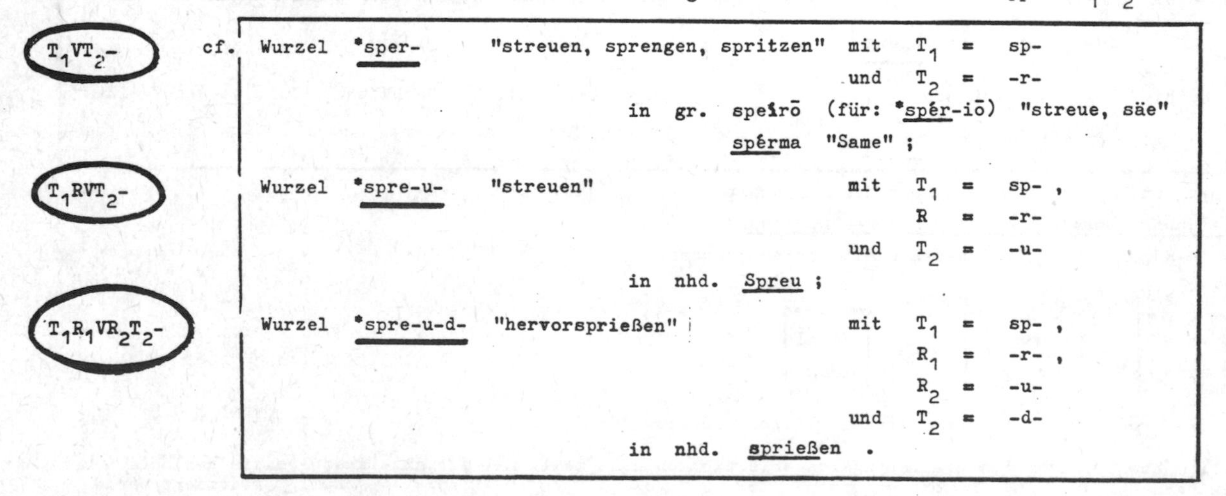

cf. Wurzel *sper- "streuen, sprengen, spritzen" mit T_1 = sp-
und T_2 = -r-
in gr. speírō (für: *spér-iō) "streue, säe"
spérma "Same" ;

Wurzel *spre-u- "streuen" mit T_1 = sp- ,
R = -r-
und T_2 = -u-
in nhd. Spreu ;

Wurzel *spre-u-d- "hervorsprießen" mit T_1 = sp- ,
R_1 = -r- ,
R_2 = -u-
und T_2 = -d-
in nhd. sprießen .

-- Auch das

proto-indogermanische Lautsystem

stellt sich damit stark vereinfacht dar. Es kann folgendermaßen rekonstruiert werden:

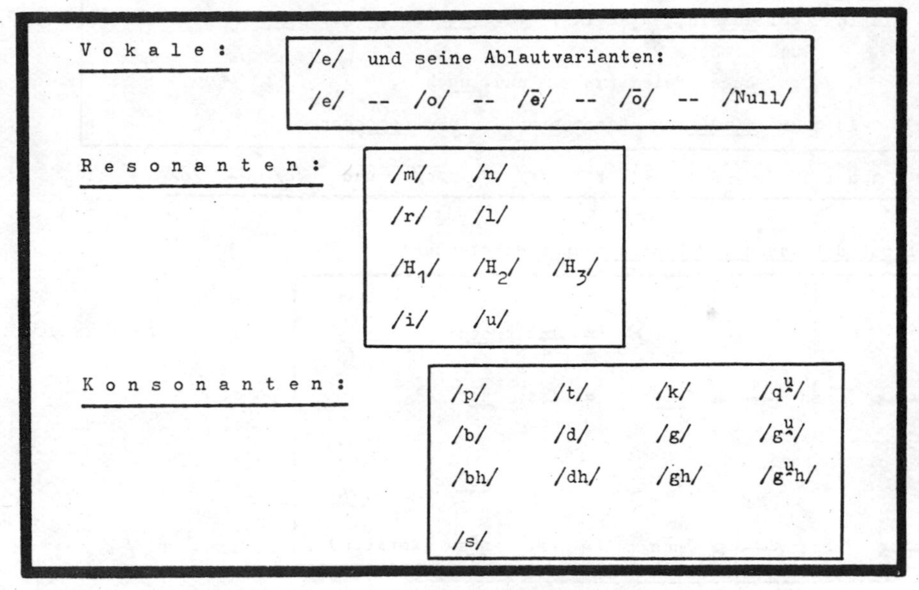

Vokale:	/e/ und seine Ablautvarianten: /e/ -- /o/ -- /ē/ -- /ō/ -- /Null/
Resonanten:	/m/ /n/ /r/ /l/ /H_1/ /H_2/ /H_3/ /i/ /u/
Konsonanten:	/p/ /t/ /k/ /q^{u}/ /b/ /d/ /g/ /g^{u}/ /bh/ /dh/ /gh/ /$g^{u}h$/ /s/

Noch nicht geklärt ist damit die Frage nach dem Ursprung des Ablauts /e/ -- /o/ -- /ē/ -- /ō/ -- /Null/ .
Doch läßt sich aufgrund des Forschungsstandes folgendes sagen:

-- Der quantitative Ablaut /e/ -- /Null/ ist akzentbedingt:

Grundstufe /e/ setzt Akzent voraus,

Schwundstufe /Null/ setzt Akzentlosigkeit voraus .

Cf. etwa

idg.	*déuk-o-no-m	"führen"	--	*duk-mé
germ.	*teuh-a-na		--	*tug-um
ahd.	ziohan		--	zugum
nhd.	ziehen		--	(wir zogen)

oder

idg.	*u̯ért-o-no-m	"wenden"	--	*u̯r̥t-mé
germ.	*u̯erþ-a-na		--	*u̯urđ-um
ahd.	uuerdan		--	uuurtum
nhd.	werden		--	wir wurden

Bei diesen Beispielen weist auch der Grammatische Wechsel in den germanischen (und deutschen) Formen auf den wechselnden Akzent im Indogermanischen hin.

Mit dem akzentbedingten Ablaut hängt auch ein häufig wahrnehmbarer Wechsel zwischen den Formen der erweiterten Wurzel zusammen: es wechseln

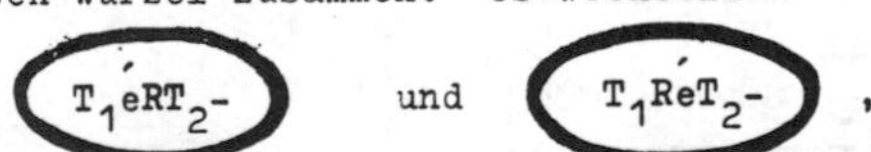

zu denen dann noch schwundstufiges

kommt.

Cf. etwa

idg. Wurzel *déi̯u- / *di̯éu- / *diu̯- "Taghimmel, Himmelsgott, Gott, göttlich"

mit	*déi̯u-	in	*dei̯u-o-s	"Gott; göttlich"	(ai. deva- ; lat. dīvus / deus ; altnord. Týr = ahd. Zīu , Zīo) ,
mit	*di̯éu-	in	*di̯eu-s (*di̯ēu-s)	Name des Himmelsgottes	(ai. dyau-s ; gr. Zeus ; lat. Diēs-piter / Iū-ppiter) ,
mit	*diu̯-	in	*diu̯-ós usw.	Gen. zu *dieu-s	(ai. div-ás ; gr. Diós usw.) .

oder (mit Laryngal)

idg. Wurzel *áug- = *H_2éug- / *(ə)u̯ég- = *H_2u̯ég- "wachsen, vermehren"
mit *áug-(s)- in in gr. áuxein, auxánein , lat. augēre , got. aukan "vermehren" und gr. áuge "wiederum" , nhd. auch ,
mit *(ə)u̯ég-(s)- in gr. a(w)éxein "vermehren" , nhd. wachsen .

-- Demgegenüber scheint der q u a n t i t a t i v e A b l a u t /e/ -- /ē/ und /o/ -- /ō/ sekundären Charakter zu haben.

"Dehnstufen" sind vermutlich durch Ersatzdehnungen und Kontraktionen entstanden:

cf. idg. Wurzel *ped- / *pod- "Fuß"

davon	Gen.Sg.	*ped-ós			= lat. pedis
	gegenüber				
	Nom.S.	*péd-s	→ *pess	→ *pēs	= lat. pēs
	und				
	Gen.Sg.	*pod-ós			= gr. podós
	gegenüber				
	Nom.Sg.	pód-s	→ *poss	→ *pōs	= gr. pṓs (dorisch) .

cf. auch d e h n s t u f i g e P e r f e k t s t ä m m e wie in

lat. sēdimus
= ai. sedima
= ahd. sāzzum (nhd. wir saßen) :

der Perfektstamm *sēd- , dem
ein Präsensstamm *sed- gegenübersteht,
läßt sich auf redupliziert-schwundstufiges *sé-sd- zurückführen .

EXKURS III :

Prozesse wie die Überführung von redupliziert-schwundstufigen Perfektstämmen wie *sé-sd- in dehnstufiges *sēd- haben sich im Laufe der germanisch-deutschen Sprachgeschichte wiederholt. Auf diese Weise ist in den west- und nordgermanischen Sprachen ein neuer Typus der Vokalalternation entstanden, der im Rahmen der

VII . K l a s s e d e s S t a r k e n V e r b u m s

zur Bildung des Präteritalstammes dient. Man spricht hier in Analogie zu den Ablauterscheinungen bei den Klassen I - VI des Starken Verbums von einer

" 7 . A b l a u t r e i h e " ,

obwohl kein historischer Zusammenhang mit dem indogermanischen Ablaut besteht.

Das ostgermanische Gotisch zeigt hier den älteren Zustand:

Reduplikation, bei einigen Verben (Wurzeln mit langem Grundvokal) gleichzeitig Ablaut /ē/ -- /ō/ :

cf.	got.	haitan	"heißen"	--	hai-hait	"ich hieß"
		rēdan	"raten"	--	rai-rōþ	"ich riet" .

Im West- und Nordgermanischen tritt an die Stelle von Reduplikation (und Ablaut /ē/ -- /ō/) folgende Vokalalternation:

P r ä s e n s	/-a-/	--		P r ä - t e r i t u m
	/-ē₁-/ = /-ā-/	--	/-ē₂-/ = /-ē-/	
	/-ai-/	--		
	/-ō-/	--	/-eu-/	
	/-au-/	--		

Im Angelsächsischen (Altenglischen) ist der Übergang von einem System zum anderen noch greifbar:

cf.				
	got.	haitan	--	hai-hait
	ae.	hātan	--	he-ht → hēt
	got.	rēdan	--	rai-rōþ
	ae.	rǣdan	--	reo-rd → rēd .

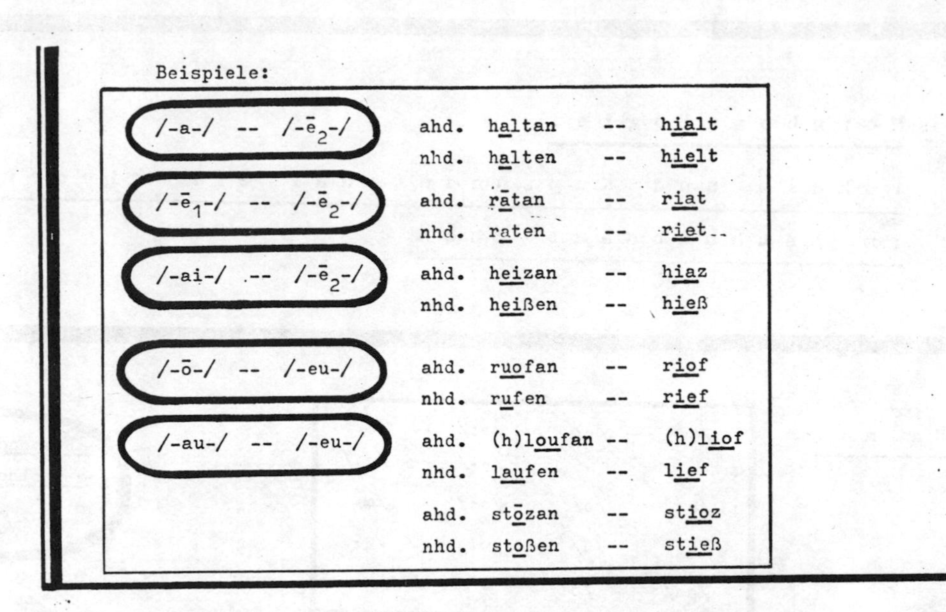

Beispiele:
/-a-/ -- /-ē2-/
ahd. haltan -- hialt
nhd. halten -- hielt
/-ē1-/ -- /-ē2-/
ahd. rātan -- riat
nhd. raten -- riet
/-ai-/ -- /-ē2-/
ahd. heizan -- hiaz
nhd. heißen -- hieß
/-ō-/ -- /-eu-/
ahd. ruofan -- riof
nhd. rufen -- rief
/-au-/ -- /-eu-/
ahd. (h)loufan -- (h)liof
nhd. laufen -- lief
ahd. stōzan -- stioz
nhd. stoßen -- stieß

-- Der q u a l i t a t i v e A b l a u t /e/ -- /o/ hat bisher noch keine befriedigende Erklärung gefunden.

Morphonologie: Vokal- und Konsonantenalternationen im Neuhochdeutschen

(1) **Umlaut:**

/a/ -- /e/	/a:/ -- /æ/
	/a:/ -- /e:/
/o/ -- /ö/	/o:/ -- /œ/
/u/ -- /ü/	/u:/ -- /ü:/
/au/ -- /oi/	

althochdeutscher i-Umlaut
mittelhochdeutscher i-Umlaut

cf. Vokalismus, S. 32, S. 33/34

Beispiele:

Apfel	--	Äpfel
Garten	--	Gärten
Gast	--	Gäste
Wald	--	Wälder
Land	--	Länder
Vater	--	Väter
Faden	--	Fäden
Rat	--	Räte
Grab	--	Gräber
Tal	--	Täler
Kopf	--	Köpfe
Gott	--	Götter
Loch	--	Löcher
Holz	--	Hölzer
Not	--	Nöte
Kunst	--	Künste
Bruder	--	Brüder
Fuß	--	Füße
Stuhl	--	Stühle
Baum	--	Bäume
Raum	--	Räume
Haut	--	Häute

Gott	--	Göttin		
Storch	--	Störchin		
Hund	--	Hündin		
Bauer	--	Bäuerin		
Lamm	--	Lämmlein	--	Lämmchen
Hase	--	Häslein	--	Häschen
Knabe	--	Knäblein		
Bub	--	Büblein	--	Bübchen
Haus	--	Häuslein	--	Häuschen

kalt	--	kälter, am kältesten	--	Kälte
lang	--	länger, am längsten	--	Länge
schmal	--	schmäler, am schmälsten		
groß	--	größer, am größten	--	Größe
kurz	--	kürzer, am kürzesten	--	Kürze

Hanf	--	hänfen
Stahl	--	stählern
Holz	--	hölzern
Ton	--	tönern

Kraft	--	kräftig
Macht	--	mächtig
Tat	--	tätig
Not	--	nötig
Bauer	--	bäurisch

schwach	--	schwächlich
alt	--	ältlich
Tat	--	tätlich
Gott	--	göttlich
Tod	--	tödlich
Lob	--	löblich
kurz	--	kürzlich
Stunde	--	stündlich
gut	--	gütlich
Raum	--	räumlich
Bauer	--	bäuerlich

halten -- du hältst, er hält
tragen -- du trägst, er trägt
schlagen -- du schlägst, er schlägt
blasen -- du bläst, er bläst
stoßen -- du stößt, er stößt
saufen -- du säufst, er säuft
laufen -- du läufst, er läuft

ich sandte -- senden
ich wandte -- wenden
ich brannte -- brennen
ich rannte -- rennen

ich fand -- ich fände
ich gab -- ich gäbe
ich nahm -- ich nähme
ich floß -- ich flösse
ich goß -- ich gösse
ich bot -- ich böte
ich flog -- ich flöge
ich wurde -- ich würde
ich fuhr -- ich führe
ich schlug -- ich schlüge
ich trug -- ich trüge

(trinken --) ich trank -- tränken
(sinken --) ich sank -- senken
(springen --) ich sprang -- sprengen
fallen -- fällen
hangen -- hängen
(genesen --) ich genas -- ernähren
(liegen --) ich lag -- legen
(fahren --) ich fuhr -- führen

Pfand -- pfänden
Zahl -- zählen
Wahn -- wähnen
Hag -- hegen
Kopf -- köpfen
tot -- töten
rot -- röten
Raum -- räumen
Traum -- träumen

---

(2) Alternationen
/e/ -- /i/
/e:/ -- /i/
/e:/ -- /i:/
/o/ -- /u/ [-- /ü/]
/i:/ -- /oi/

westgermanischer a-Umlaut
westgermanischer i-Umlaut
und weitere gemeinwestgermanische Assimilationsprozesse
cf. Vokalismus, S. 30/31, S. 32 oben

helfen -- du hilfst, er hilft
werfen -- du wirfst, er wirft
werden -- du wirst, er wird
nehmen -- du nimmst, er nimmt
geben -- du gibst, er gibt
stehlen -- du stiehlst, er stiehlt

Berg -- Gebirge
Feld -- Gefilde
Schwester - Geschwister

Erde -- irden -- irdisch

---

geworden -- wir wurden -- ich würde
hold -- Huld
Gold -- Gulden -- gülden
Horn -- -- hürnen
Zorn -- -- zürnen
voll -- füllen

---

bieten -- altertüml.: du beutst, er beut
kriechen, fliegen -- "Was da kreucht und fleugt" (Schiller)
gießen -- "Ergeuß von Neuem, du mein Auge, Freudentränen" (Klopstock)

(3) **Alternation** /ai/ -- /e:/

am meisten -- mehr

althochdeutsche Monophthongierung
cf. Vokalismus, S. 32

(4) A b l a u t

Systematische Übersicht über Ablauterscheinungen in der neuhochdeutschen Verbalflexion:

1. Ablautreihe cf. S. 54-56

/ai/ -- /i/
/ai/ -- /i:/

greifen	-- griff, gegriffen
beißen	-- biß, gebissen
gleichen	-- glich, geglichen
bleiben	-- blieb, geblieben
scheiden	-- schied, geschieden

2. Ablautreihe

/i:/ -- /o/
/i:/ -- /o:/
/ü:/ -- /o:/
/au/ -- /o/
/au/ -- /o:/

triefen	-- troff, getroffen
gießen	-- goß, gegossen
fließen	-- floß, geflossen
kriechen	-- kroch, gekrochen
schieben	-- schob, geschoben
fliegen	-- flog, geflogen
bieten	-- bot, geboten
lügen	-- log, gelogen
betrügen	-- betrog, betrogen
saufen	-- soff, gesoffen
schnauben	-- schnob, geschnoben
saugen	-- sog, gesogen

3. Ablautreihe

/i/ -- /a/ -- /u/
/i/ -- /a/ -- /o/
/i/ -- -- /o/
/e/ -- /a/ -- /o/
/e/ -- -- /o/

binden	-- band	-- gebunden
finden	-- fand	-- gefunden
singen	-- sang	-- gesungen
trinken	-- trank	-- getrunken
schwimmen	-- schwamm	-- geschwommen
beginnen	-- begann	-- begonnen
spinnen	-- spann	-- gesponnen
glimmen	-- glomm, geglommen	
helfen	-- half	-- geholfen
sterben	-- starb	-- gestorben
werben	-- warb	-- geworben
werfen	-- warf	-- geworfen
melken	-- molk, gemolken	
schmelzen	-- schmolz, geschmolzen	

/e/ -- /a/ -- /u/ -- /o/ werden -- ward -- wurden -- geworden

4. Ablautreihe

/e/ -- /a:/ -- /o/
/e:/ -- /a:/ -- /o/
/e:/ -- /a:/ -- /o:/
/æ/ -- /a:/ -- /o:/
/e/ -- -- /o/
/e:/ -- -- /o:/
/æ/ -- -- /o:/
/ö/ -- -- /o/

brechen	-- brach	-- gebrochen
sprechen	-- sprach	-- gesprochen
stechen	-- stach	-- gestochen
nehmen	-- nahm	-- genommen
stehlen	-- stahl	-- gestohlen
befehlen	-- befahl	-- befohlen
gebären	-- gebar	-- geboren
flechten	-- flocht, geflochten	
fechten	-- focht, gefochten	
pflegen	-- pflog, gepflogen	
gären	-- gor, gegoren	
löschen	-- losch, geloschen	

5. Ablautreihe

/e/ -- /a:/ -- /e/
/e:/ -- /a:/ -- /e:/

essen	-- aß	-- gegessen
messen	-- maß	-- gemessen
geben	-- gab	-- gegeben
sehen	-- sah	-- gesehen
geschehen	-- geschah	-- geschehen

6. Ablautreihe cf. S. 58

/a/ -- /u:/ -- /a/
/a:/ -- /u:/ -- /a:/

waschen	-- wusch	-- gewaschen
backen	-- buk	-- gebacken
fahren	-- fuhr	-- gefahren
graben	-- grub	-- gegraben
schlagen	-- schlug	-- geschlagen
tragen	-- trug	-- getragen

/a/				/a/
/a:/				/a:/
/ai/	--	/i:/	--	/ai/
/o:/				/o:/
/au/				/au/
/u:/				/u:/
/a/	--	/i/	--	/a/

fallen -- fiel -- gefallen
halten -- hielt -- gehalten

blasen -- blies -- geblasen
schlafen -- schlief -- geschlafen
raten -- riet -- geraten

heißen -- hieß -- geheißen

stoßen -- stieß -- gestoßen

laufen -- lief -- gelaufen

rufen -- rief -- gerufen

fangen -- fing -- gefangen
hangen -- hing -- gehangen

sogenannte "7. Ablautreihe"

cf. S. 63/64

Weitere Beispiele für Ablaut im Neuhochdeutschen:

greifen -- Griff
beißen -- Biß

scheiden -- Abschied

gießen -- Guß
fließen -- Fluß

fliegen -- Flug
schieben -- Schub
ziehen -- Zug

lügen -- Lug
betrügen -- Betrug

saufen -- Suff

saugen -- Sog

binden, Binde -- Band -- Bund
finden -- -- Fund
singen -- Sang
trinken -- Trank -- Trunk

werfen -- -- Wurf

brechen -- Bruch
sprechen -- Spruch

gebären -- Geburt

geben -- Gabe
nehmen -- (Ein)nahme -- (Ver)nunft

graben, Grab -- Grube -- Gruft
fahren, Fahrt -- Fuhre -- Furt

---

(5) G r a m m a t i s c h e r W e c h s e l :

/f/	--	/b/
/d/	--	/t/
/h/	--	/g/
/s/	--	/r/

Verners Gesetz

cf. Konsonantismus, S. 38/39

dürfen -- darben, (ver)derben
Hefe -- heben

leiden -- litt, gelitten; leiten
schneiden -- schnitt, geschnitten
sieden -- sott, gesotten
Herde -- Hirte

gedeihen, gediehen -- gediegen
seihen -- (ver)siegen
zeihen -- zeigen
ziehen -- zog, gezogen; Zug
Höhe -- Hügel

wesen, gewesen -- war; währen
genesen -- (er)nähren
(er)kiesen -- (er)kor, (er)koren; Kur(fürst), Kür, küren
(Ver)lust -- (ver)lieren
Frost -- frieren
List -- lehren
Durst -- dürr
am meisten -- mehr

(6) " P r i m ä r e B e r ü h r u n g " :

/b, f, pf/	--	/ft/
/t, d/	--	/st/
/k, g, h/	--	/xt/

primäre Berührung

cf. Konsonantismus, S. 4o (Zusatz)

geben -- Gift
graben, grub -- Gruft
heben; Hefe -- Haft, Heft
schaffen, schöpfen -- Geschäft, -schaft

laden -- Last
rot -- Rost

pflegen -- Pflicht
tragen -- Tracht
schlagen -- Schlacht, schlachten
denken -- dachte
dünken -- däuchte
bringen -- brachte
sehen -- Gesicht

(7)

Alternationen	/f/ -- /pf/
	/s/ -- /ts/ -- /t/
	/x/ -- /k/

westgermanische Konsonanten-"Gemination"
II. Lautverschiebung
("tenuis-spirans-Verschiebung",
"tenuis-affricata-Verschiebung")

cf. Konsonantismus, S. 41, S. 42/43

schaffen, schuf	--	schöpfen; Schöpfer		
saß, gesessen; Sessel	--	sitzen; setzen		
beißen	--	beizen	--	bitter
heiß	--	heizen; Hitze	--	heiter
Haß; hassen	--	hetzen		
wach, wachen	--	wecken		
Dach	--	decken		
stechen	--	stecken		

(8) Auslautverhärtung

Auslautverhärtung

cf. Konsonantismus, S. 47

bleiben	[b]	--	blieb	[p]
treiben		--	trieb; Trieb	
geben		--	gab	
rauben; des Raubes		--	Raub;	
binden	[d]	--	band	[t]
finden		--	fand	
des Waldes		--	Wald	
lügen	[g]	--	log; Lug	[k]
(be)trügen		--	(be)trog; Trug	
liegen; legen		--	lag;	
des Tages		--	Tag	
lesen	[z]	--	las	[s]
blasen		--	blies	
hausen; des Hauses		--	Haus	
kreisen; des Kreises		--	Kreis	

M o r p h o l o g i e   d e s   V e r b u m s

V o r b e m e r k u n g e n :

Die f i n i t e n (k o n j u g i e r t e n) F o r m e n eines Verbums können in den germanischen Sprachen nach folgenden

K a t e g o r i e n

bestimmt werden:

(1) P e r s o n : 1. P e r s o n,
2. P e r s o n,
3. P e r s o n;

(2) N u m e r u s : S i n g u l a r,
P l u r a l;

das Gotische kennt außerdem noch, in Restformen, einen D u a l (Zweizahl);

(3) M o d u s : I n d i k a t i v,
O p t a t i v (= "K o n j u n k t i v"),
I m p e r a t i v;

(4) T e m p u s :

die germanischen Sprachen kennen zunächst nur 2 Tempora: P r ä s e n s,
P r ä t e r i t u m;

erst in historischer Zeit wird in den einzelnen Sprachen mit Hilfe von Umschreibungen ein kompliziertes Tempussystem entwickelt:

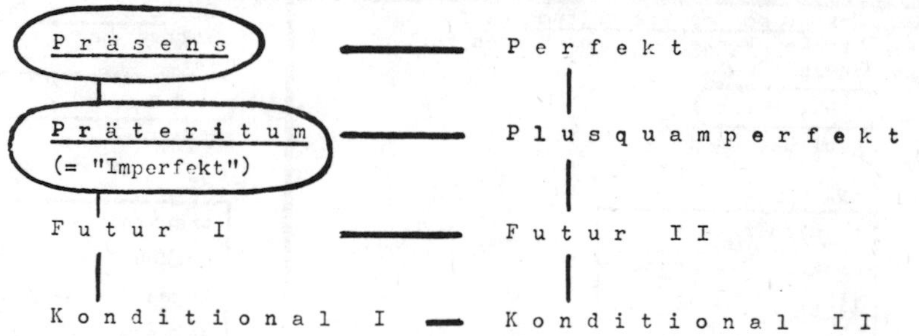

(5) G e n u s V e r b i :

die germanischen Sprachen kennen zunächst als voll ausgebildetes Genus Verbi nur das A k t i v; im Gotischen findet sich noch in Restformen ein M e d i o - P a s s i v; in historischer Zeit bilden die einzelnen Sprachen mit Hilfe von Umschreibungen ein P a s s i v.

An i n f i n i t e n F o r m e n des Verbums unterscheiden die germanischen Sprachen:

-- ein Verbalsubstantiv: I n f i n i t i v P r ä s e n s (A k t i v) und
-- zwei Verbaladjektive: P a r t i z i p P r ä s e n s (A k t i v) und
P a r t i z i p d e s P r ä t e r i t u m s **(P a s s i v)**

S t a r k e s u n d S c h w a c h e s V e r b u m :

Die Mehrzahl der germanischen Verben gehören zu zwei großen Konjugationsklassen:

(1) S t a r k e s V e r b u m (mit 7 Unterklassen); Typ tr<u>i</u>nken -- tr<u>a</u>nk -- getr<u>u</u>nken ;

(2) S c h w a c h e s V e r b u m (mit 3 bzw. 4 Unterklassen): Typ tränken -- tränk<u>te</u> -- geträn<u>kt</u> .

Starke und Schwache Verben unterscheiden sich im wesentlichen in 3 Punkten:

	Starkes Verbum	Schwaches Verbum

(1)

Starkes Verbum

Starke Verben sind

P r i m ä r v e r b e n

cf.

trinken
sinken
liegen
sitzen
fallen

Schwaches Verbum

Schwache Verben sind

S e k u n d ä r v e r b e n,

d. h. abgeleitete Verben; dabei sind zu unterscheiden

-- D e v e r b a t i v a

als Ableitungen von (Starken) Verben, vielfach in der Funktion von

K a u s a t i v a :

cf.

tränken	als Kausativum zu	trinken
senken	als Kausativum zu	sinken
legen	als Kausativum zu	liegen
setzen	als Kausativum zu	sitzen
fällen	als Kausativum zu	fallen

-- D e n o m i n a t i v a

als Ableitungen von Nomina (Substantive, Adjektive), meist in der Funktion von

F a k t i t i v a :

cf.

heilen	als Faktitivum zu	heilen
röten	als Faktitivum zu	rot
salben	als Faktitivum zu	Salbe
pflanzen	als Faktitivum zu	Pflanze
fischen	als Faktitivum zu	Fisch

(2)

Starkes Verbum

Der Stamm des Präteritums wird bei den Starken Verben in den meisten Fällen durch

A b l a u t

gebildet:

cf.

trinken	--	trank
sinken	--	sank
liegen	--	lag
sitzen	--	saß
fallen	--	fiel

Schwaches Verbum

Der Stamm des Präteritums wird bei den Schwachen Verben durch ein

D e n t a l s u f f i x

gebildet:

cf.

tränken	--	tränkte
senken	--	senkte
legen	--	legte
setzen	--	setzte
fällen	--	fällte
heilen	--	heilte
röten	--	rötete
salben	--	salbte
pflanzen	--	pflanzte
fischen	--	fischte

(3)

Starkes Verbum

Das Partizip des Präteritums wird bei den Starken Verben durch ein

N a s a l s u f f i x (idg. -nó-)

gebildet; bei einem großen Teil der Starken Verben darüberhinaus durch

A b l a u t :

cf.

trinken	--	getrunken
sinken	--	gesunken
liegen	--	gelegen
sitzen	--	gesessen
fallen	--	gefallen

Schwaches Verbum

Das Partizip des Präteritums wird bei den Schwachen Verben durch ein

D e n t a l s u f f i x (idg. -tó-)

gebildet:

cf.

tränken	--	getränkt
senken	--	gesenkt
legen	--	gelegt
setzen	--	gesetzt
fällen	--	gefällt
heilen	--	geheilt
röten	--	gerötet
salben	--	gesalbt
pflanzen	--	gepflanzt
fischen	--	gefischt

Die Flexion des Starken Verbums:

Die einzelnen finiten Formen eines Starken Verbums setzen sich aus mehreren Morphemen zusammen. Diese sind bei den rekonstruierten indogermanischen Formen, die den historischen Formen zugrundeliegen (und von denen bei einer exakten Morphemanalyse auszugehen ist), die folgenden:

(1) die Wurzel,

(2) die stammbildenden Elemente,

(3) das Optativkennzeichen,

(4) die Personalendung.

Ad (1): Wurzel und Stamm; die "Stammformen":

Wurzel (1) und stammbildende Elemente (2) bilden zusammen den Stamm. Allerdings wird der Stamm nicht in allen Fällen durch Anfügung eines besonderen stammbildenden Elements an die Wurzel gebildet -- eine andere Möglichkeit der Stammbildung ist die Variation der Wurzel durch Ablaut:

beim Starken Verbum hat nur der Präsensstamm ein besonderes stammbildendes Element, während die Stämme des Präteritums in den meisten Fällen durch Ablaut gebildet werden.

Eine dritte Möglichkeit der Stammbildung ist im Gotischen noch greifbar: die Stämme des Präteritums werden im Gotischen bei einer Gruppe von Starken Verben durch Reduplikation (oder Reduplikation + Ablaut) gebildet; die nord- und westgermanischen Sprachen haben dieses Verfahren allerdings aufgegeben und die Reduplikation durch einen neuen Typus des Ablauts ersetzt.

Die verschiedenen durch Ablaut bedingten Erscheinungsformen der Wurzel bei einem Starken Verbum werden in den Grammatiken durch die Stammformen erfaßt; diese Stammformen sind traditionsgemäß die folgenden 4 Formen:

(1)	Infinitiv Präsens	für alle Formen des Präsens einschließlich der Nominalformen Infinitiv und Partizip Präsens ;
(2)	1. Sg. Ind. Prät.	für die 1.2.3. Sg. Ind. Prät. ;
(3)	1. Pl. Ind. Prät.	für die 1.2.3. Pl. Ind. Prät. sowie für alle Formen des Optativs im Präteritum ;
(4)	Partizip des Präteritums	mit eigenem Stamm .

In den westgermanischen Sprachen haben vielfach die 1.2.3. Sg. Ind. Präs. noch einen besonderen Stamm, der sich vom Stamm der anderen Formen des Präsens aufgrund von westgermanischem i-Umlaut unterscheidet; also:

(1a)	1. Sg. Ind. Präs.	für 1.2.3. S. Ind. Präs. sowie die 2. Sg. Imp. Präs.

Außerdem wurde in den Formen des Sg. Prät. eine Umverteilung vollzogen: der Stamm der 1. Pl. Ind. Prät. (Stammform 3) liegt in den westgermanischen Sprachen auch der 2. Sg. Ind. Prät. zugrunde;

im Neuhochdeutschen (und Neuenglischen) ist das System der Stammformen aufgrund von Systemausgleich stark vereinfacht. Cf. dazu etwa:

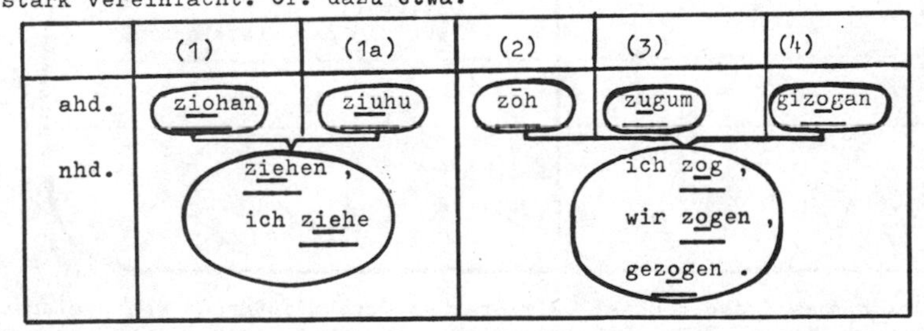

(1)
(1a)
(2)
(3)
(4)
ahd.
ziohan
ziuhu
zōh
zugum
gizogan
nhd.
ziehen ,
ich ziehe
ich zog ,
wir zogen ,
gezogen .

Jenachdem, auf welcher indogermanischen Ablautreihe die Stammformen eines Starken Verbums aufbauen, unterscheidet man

7 Klassen des Starken Verbums:

Klassen I - V':	indogermanische Ablautreihen, die auf /e/ und seinen Kombinationen mit Resonanten aufbauen:
Klasse I :	/e/ + /i/
Klasse II :	/e/ + /u/
Klasse III:	/e/ + Nasal/Liquida + Konsonant
Klasse IV :	/e/ + Nasal/Liquida
Klasse V :	/e/ + Konsonant
Klasse VI :	andere indogermanische Ablautreihen; im Germanischen Ablaut /a/ -- /ō/
Klasse VII :	Stamm des Präteritums ursprünglich (so noch gotisch) durch Reduplikation gebildet (eventuell gleichzeitig indogermanischer Ablaut /ē/ -- /ō/); in den west- und nordgermanischen Sprachen ein neuer Typus des Ablauts mit $/\bar{e}_2/$ bzw. /eu/ als Vokal des Präteritalstammes.

Für die Verteilung der verschiedenen Ablautstufen auf die einzelnen Stämme gilt dabei folgendes:

<table>
<tr><th>Stammformen:</th><th>(1)</th><th>(2)</th><th>(3)</th><th>(4)</th></tr>
<tr><td>Klasse I</td><td rowspan="5">Grundstufe</td><td rowspan="5">Abtönungsstufe</td><td rowspan="3">Schwundstufe</td><td rowspan="4">Schwundstufe</td></tr>
<tr><td>Klasse II</td></tr>
<tr><td>Klasse III</td></tr>
<tr><td>Klasse IV</td><td rowspan="2">Dehnstufe</td></tr>
<tr><td>Klasse V</td><td>Grundstufe</td></tr>
<tr><td>Klasse VI</td><td>germ. /a/</td><td colspan="2">germ. /ō/</td><td>germ. /a/</td></tr>
<tr><td rowspan="2">Klasse VII</td><td>wg. /a/
/$\bar{e}_1$/
/ai/</td><td colspan="2">wg. /$\bar{e}_2$/</td><td>wg. /a/
/$\bar{e}_1$/
/ai/</td></tr>
<tr><td>/ō/
/au/</td><td colspan="2">wg. /eu/</td><td>/ō/
/au/</td></tr>
</table>

Beispiele: s. Tabelle S. 71/72

Besonderheiten:

-- Diejenigen Verben, deren Wurzel indogermanisch auf /-p-/ /-t-/ /-k-/ /-q^{u}-/ und /-s-/ (germanisch auf /-f-/ /-þ-/ /-h-/ /-h^{u}-/ und /-s-/) ausgehen, zeigen in den Stämmen (3) und (4) grammatischen Wechsel ; es alternieren also:

germanisch:

Präsens 1.2.3.Sg.Ind.Prät.	1.2.3.Pl.Ind.Prät. Opt.Prät. Partizip des Präteritums
/-f-/	/-ƀ-/
/-þ-/	/-đ-/
/-h-/	/-ǥ-/
/-h^{u}-/	/-ǥ^{u}-/
/-s-/	/-z-/

althochdeutsch:

Präsens 1.3.Sg.Ind.Prät.	2.Sg.Ind.Prät. 1.2.3.Pl.Ind.Prät. Opt.Prät. Partizip des Präteritums
/-f-/	/-b-/
/-d-/	/-t-/
/-h-/	/-g-/
/-h-/	/-w-/
/-s-/	/-r-/

Im Neuhochdeutschen ist der grammatische Wechsel beim Starken Verbum aufgrund von Systemausgleich bis auf wenige Reste beseitigt worden. Dabei ist es außerdem zu einer Umverteilung gekommen, insofern als hier alle Formen des Präteritums grammatischen Wechsel zeigen (im Althochdeutschen ist diese Umverteilung lediglich bei Verben der Klassen VI und VII vollzogen). In den neuhochdeutschen Beispielen alternieren also:

neuhochdeutsch:

Präsens	Präteritum
/-d-/	/-t-/
/-h-/	/-g-/
/-s-/	/-r-/

Beispiele: s. S. 39 .

-- Aufgrund der unterschiedlichen Behandlung von germ. /ai/ und /au/ im Althochdeutschen (althochdeutsche Monophthongierung bzw. althochdeutscher Diphthongwandel; cf. S. 32) haben sich im Althochdeutschen die Klassen I und II in je zwei Unterklassen aufgespalten:

Klasse Ia mit ahd. /ei/ als Vokal der 1.3.Sg.Ind.Prät.

Klasse Ib mit ahd. /ē/ als Vokal der 1.3.Sg.Ind.Prät.

(dabei umfaßt Klasse Ib die Stämme auf germ. /-r-/ /-h-/ /-h^{u}-/ /-u̯-/)

Klassen: / Stammformen:		(1)	(1a)	(2)	(3)	(4)
I	idg.	/-ei-/		/-oi-/	/-i-/	/-i-/
	germ.	/-ei-/		/-ai-/	/-i-/	/-i-/
	got.	beitan [(ga)teihan		bait (ga)taih	bitum (ga)taíhum	bitans (ga)taíhans]
	ae.	bītan		bāt	biton	(ge)biten
	ne.	to bite		(I bit)	we bit	bitten
	ahd.	bīzzan		beiz	bizzum	(gi)bizzan
	nhd.	beißen		(ich biß)	wir bissen	(ge)bissen
II	idg.	/-eu-/		/-ou-/	/-u-/	/-u-/
	germ.	/-eu-/		/-au-/	/-u-/	/-u-/
	got.	(ana)biudan [tiuhan		(ana)bauþ tauh	(ana)budum taúhum	(ana)budans taúhans]
	ae.	bēodan	bȳtt	bēad	budon	(ge)boden
	ne-	--	--	--	--	--
	ahd.	biotan	biutit	bōt	butum	(gi)botan
	nhd.	bieten	(er bietet) [altertüml.: er beut]	ich bot	(wir boten)	(ge)boten
III a	idg.	/-emK-/ /-enK-/		/-omK-/ /-onK-/	/-m̥K-/ /-n̥K-/	/-m̥K-/ /-n̥K-/
	germ.	/-emK-/ /-enK-/		/-amK-/ /-anK-/	/-umK-/ /-unK-/	/-umK-/ /-unK-/
	got.	bindan		band	bundum	bundans
	ae.	bindan		band	bundon	(ge)bunden
	ne.	to bind		(I bound)	we bound	bound
	ahd.	bintan		bant	buntum	(gi)buntan
	nhd.	binden		ich band	(wir banden)	(ge)bunden
III b	idg.	/-erK-/ /-elK-/		/-orK-/ /-olK-/	/-r̥K-/ /-l̥K-/	/-r̥K-/ /-l̥K-/
	germ.	/-erK-/ /-elK-/		/-arK-/ /-alK-/	/-urK-/ /-ulK-/	/-urK-/ /-ulK-/
	got.	wairþan [hilpan		warþ halp	waúrþum *hulpum	waúrþans *hulpans]
	ae.	weorðan	wyrð	wearð	wurdon	worden
	ne.	--	--	--	--	--
	ahd.	uuerdan	uuirdit	uuard	uuurtum	uuortan
	nhd.	werden	er wird	ich ward	wir wurden	(ge)worden
IV	idg.	/-em-/ /-en-/ /-er-/ /-el-/		/-om-/ /-on-/ /-or-/ /-ol-/	/-ēm-/ /-ēn-/ /-ēr-/ /-ēl-/	/-m̥-/ /-n̥-/ /-r̥-/ /-l̥-/
	germ.	/-em-/ /-en-/ /-er-/ /-el-/		/-am-/ /-an-/ /-ar-/ /-al-/	/-$\bar{e}_1$m-/ /-$\bar{e}_1$n-/ /-$\bar{e}_1$r-/ /-$\bar{e}_1$l-/	/-um-/ /-un-/ /-ur-/ /-ul-/
	got.	bairan [niman		bar nam	bērum nēmum	baúrans numans]
	ae.	beran	birð	bær	bǣron	(ge)boren
	ne.	to bear	(he bearth)	(I bore)	(we bore)	born
	ahd.	beran	birit	bar	barum	(gi)boran
	nhd.	(ge)bären	sie (ge)biert	ich (ge)bar	wir (ge)baren	(ge)boren

Klassen: / Stammformen:		(1)	(1a)	(2)	(3)	(4)
V	idg.	/-e-/		/-o-/	/-ē-/	/-e-/
	germ.	/-e-/		/-a-/	/-$\bar{e}_1$-/	/-e-/
	got.	giban [saiƕan		gaf saƕ	gēbum sēƕum	gibans saiƕans]
	ae.	giefan, gifan	gifð	geaf	gēafon	(ge)gifen
	ne.	to give	he giveth	I gave	we gave	given
	ahd.	geban	gibit	gab	gābum	geban
	nhd.	geben	er gibt	ich gab	wir gaben	(ge)geben
VI	germ.	/-a-/		/-ō-/	/-ō-/	/-a-/
	got.	faran		fōr	fōrum	farans
	ae.	faran		fōr	fōron	(ge)faren
	ne.	--		--	--	--
	ahd.	faran		fuor	fuorum	(gi)faran
	nhd.	fahren		ich fuhr	wir fuhren	(ge)fahren
VII	germ.	/-V-/ /-$\bar{e}_1$-/		Reduplikation, /-V-/ Reduplikation, /-ō-/	Reduplikation /-V-/ Reduplikation, /-ō-/	/-V-/ /-$\bar{e}_1$-/
	got.	haitan lētan		haí-hait laí-lōt	haí-haitum laí-lōtum	haitans lētans
a	wg.	/-a-/ /-$\bar{e}_1$-/ /-ai-/		} /-$\bar{e}_2$-/	/-$\bar{e}_2$-/	{ /-a-/ /-$\bar{e}_1$-/ /-ai-/
	ae.	hātan		hēt	hēton	(ge)hāten
	ne.	--		--	--	--
	ahd.	heizzan		hiaz	hiazzum	(gi)heizzan
	nhd.	heißen		ich hieß	wir hießen	(ge)heißen
b	wg.	/-ō-/ /-au-/		/-eu-/	/-eu-/	/-ō-/ /-au-/
	ae.	hlēapan		hlēop	hlēopon	(ge)hlēapan
	ne.	to leap		(I lept)	(we lept)	(lept)
	ahd.	(h)louffan		(h)liof	(h)lioffum	(gi)(h)louffan
	nhd.	laufen		ich lief	wir liefen	(ge)laufen

K l a s s e I I a   mit ahd. /ou/ als Vokal der 1.3.Sg.Ind.Prät.
K l a s s e I I b   mit ahd. /ō/ als Vokal der 1.3.Sg.Ind.Prät.

(dabei umfaßt Klasse IIb die Stämme auf Dentale und germ. /-h-/ /-hᵘ̯-/)

Im Neuhochdeutschen ist diese Differenzierung aufgrund von Systemausgleich wieder aufgegeben worden.

Cf.

		(1)	(2)	(3)	(4)
K l a s s e I a	germ.	*ƀeit-	*ƀait-	*ƀit-	*ƀit-
	ahd.	bīzzan	b e i z	bizzum	(gi)bizzan
	nhd.	beißen	(ich biß)	wir bissen	(ge)bissen
K l a s s e I b	germ.	*teih-	*taih-	*tig-	*tig-
	ahd.	zīhan	z ē h	zigum	(gi)zigan
	nhd.	zeihen	(ich zieh)	wir ziehen	(ge)ziehen
K l a s s e I I a	germ.	*ƀeuǥ-	*ƀauǥ-	*ƀuǥ-	*ƀuǥ-
	ahd.	biogan	b o u g	bugum	(gi)bogan
	nhd.	biegen	(ich bog)	(wir bogen)	(ge)bogen
K l a s s e I I b	germ.	*teuh-	*tauh-	*tug-	*tug-
	ahd.	ziohan	z ō h	zugum	(gi)zogan
	nhd.	ziehen	(ich zog)	(wir zogen)	(ge)zogen

-- Zu K l a s s e I I gehören eine Reihe von Verben, deren Vokalismus auf idg. (germ.) /ū/ (= /ə + u/ oder /u + ə/) aufbaut. Diese zeigen im Präsensstamm Stammvokal /ū/ ; in den Formen des Präteritums verhalten sie sich wie die auf /e + u/ aufbauenden Verben der II. Klasse:

Cf.

		(1)	(2)	(3)	(4)
K l a s s e I I c	germ.	*s ū ǥ -	*saug-	*sug-	*suǥ-
	ahd.	s ū g a n	soug	sugum	(gi)sogan
	nhd.	s a u g e n	(ich sog)	(wir sogen)	(ge)sogen

-- Bei einigen Verben der K l a s s e n I I I und I V geht der Resonant /r/ oder /l/ dem Grundvokal /e/ voraus.

Für die Verteilung dieser Verben auf die Klassen III und IV gilt ursprünglich:

zu K l a s s e I I I gehören diejenigen Verben, deren Wurzel auf die biphonemischen Gruppen germ. /-sp-/ /-st-/ /-sk-/ und /-ht-/ ausgeht, z.B.

ahd. brestan (= nhd. bersten) ,
ahd. dreskan = nhd. dreschen ,
ahd. (ir)leskan = nhd. (er)löschen ,
ahd. flehtan = nhd. flechten ,

analog zu ahd. flehtan auch

ahd. fehtan = nhd. fechten ;

zu K l a s s e I V gehören diejenigen Verben, deren Wurzel auf germ. /-p-/ und /-k-/ (ahd. /-ff-/ und /-xx-/) ausgeht, z.B.

ahd. treffan = nhd. treffen ,
ahd. rehhan = nhd. rächen ,
ahd. brehhan = nhd. brechen ,
ahd. sprehhan = nhd. sprechen ,

analog zu diesen Verben auch

ahd. stehhan = nhd. stechen .

Bereits im Mittelhochdeutschen bildet die Gruppe bresten, dreschen, (er)leschen, vlehten, vehten in der Regel ihre Stammformen ebenfalls nach Klasse IV. Im Neuhochdeutschen sind die beiden Gruppen aufgrund von Systemausgleich ohnehin nicht mehr zu unterscheiden.

Ad (2) : **S t a m m b i l d e n d e   E l e m e n t e :**

Ein besonderes stammbildendes Element hat beim Starken Verbum nur der Präsensstamm: dieses ist bei den meisten Starken Verben der

T h e m a v o k a l idg. */-e-/ bzw. (Abtönungsstufe) */-o-/
germ. */-i-/ bzw. */-a-/ .

Die Distribution ist folgende:

*/-e-/ (*/-i-/) : 2.3.Sg.Ind.Präs.
2.Pl.IndPräs.
2.Sg.u.Pl.Imp.Präs.

*/-o-/ (*/-a-/) : 1.Sg.Ind.Präs.
1.3.Pl.Ind.Präs.
Opt.Präs.

Der Wechsel zwischen */-e-/ (*/-i-/) und */-o-/ (*/-a-/) in den verschiedenen Formen des Indikativ Präsens hat in den einzelnen west- (und nord-)germanischen Sprachen aufgrund verschiedener Assimilationsprozesse (westgerm. i-Umlaut, ahd. i-Umlaut, mhd. i-Umlaut) bestimmte Alternationen des Stammvokals im Indikativ Präsens nach sich gezogen; daher rührt auch die Differenzierung zwischen Stamm (1) und Stamm (1a) in den westgermanischen Sprachen:

cf.

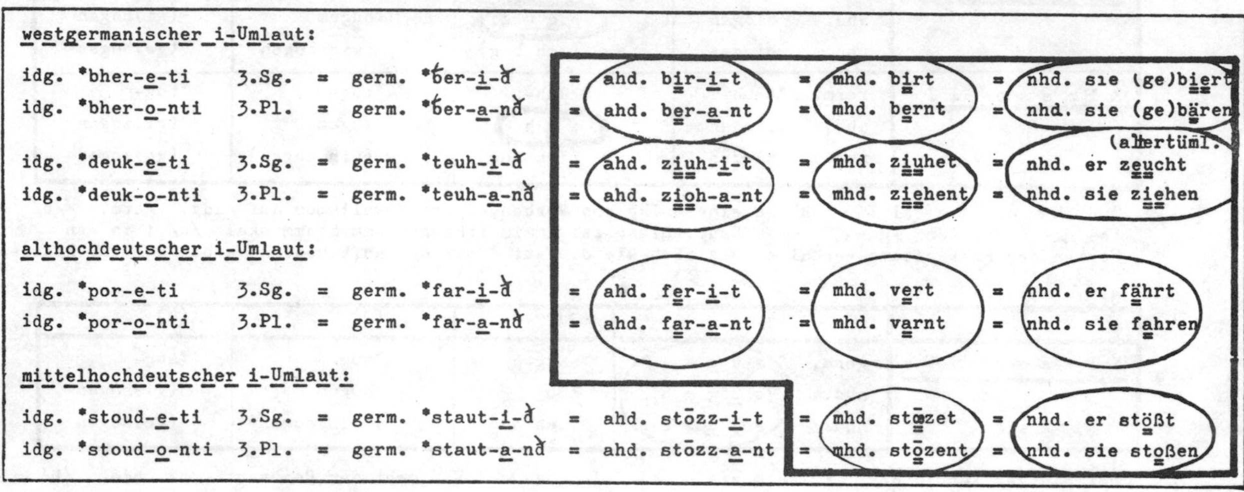

westgermanischer i-Umlaut:

idg. *bher-e-ti	3.Sg.	= germ. *ƀer-i-đ	= ahd. bir-i-t	= mhd. birt	= nhd. sie (ge)biert	
idg. *bher-o-nti	3.Pl.	= germ. *ƀer-a-nđ	= ahd. ber-a-nt	= mhd. bernt	= nhd. sie (ge)bären	(altertüml.)
idg. *deuk-e-ti	3.Sg.	= germ. *teuh-i-đ	= ahd. ziuh-i-t	= mhd. ziuhet	= nhd. er zeucht	
idg. *deuk-o-nti	3.Pl.	= germ. *teuh-a-nđ	= ahd. zioh-a-nt	= mhd. ziehent	= nhd. sie ziehen	

althochdeutscher i-Umlaut:

idg. *por-e-ti	3.Sg.	= germ. *far-i-đ	= ahd. fer-i-t	= mhd. vert	= nhd. er fährt
idg. *por-o-nti	3.Pl.	= germ. *far-a-nđ	= ahd. far-a-nt	= mhd. varnt	= nhd. sie fahren

mittelhochdeutscher i-Umlaut:

idg. *stoud-e-ti	3.Sg.	= germ. *staut-i-đ	= ahd. stōzz-i-t	= mhd. stœzet	= nhd. er stößt
idg. *stoud-o-nti	3.Pl.	= germ. *staut-a-nđ	= ahd. stōzz-a-nt	= mhd. stōzent	= nhd. sie stoßen

Eine kleine Gruppe Starker Verben bildet ihren Präsensstamm mit Hilfe anderer Morpheme; es handelt sich vor allem um die

-- " j - P r ä s e n t i e n " :

Kennzeichen des Präsensstammes ist

idg. */-i̯e-/ bzw. */-i̯o-/
germ. */-i̯i-/ bzw. */-i̯a-/ .

Vergleichbar sind lat. Präsentien vom Typ capere - capiō / capiunt .

In den einzelnen west- (und nord-)germanischen Sprachen wirkt sich das /i̯/ des stammbildenden Elementes auf den Vokalismus der Wurzelsilbe (Assimilationsprozesse) sowie auf die wurzelauslautende Konsonanz (westgermanische Konsonantengemination) aus. In den westgermanischen Sprachen haben daher alle j-Präsentien in den Formen des Präsens umgelauteten Vokal (westgermanischer i-Umlaut, althochdeutscher i-Umlaut); die wurzelauslautende Konsonanz ist in den westgermanischen Sprachen gedehnt - der Wechsel zwischen "doppeltem" Verschlußlaut (/-tt-/ , /-pp-/) in den Formen des Präsens und einfachem Verschlußlaut (/-t-/ , /-p-/) in den Formen des Präteritums im Westgermanischen erscheint dabei im Althochdeutschen als ein Wechsel zwischen Affrikata (/-tz-/ , /-pf-/) und Spirans (/-ȥȥ-/ , /-ff-/). Grammatischer Wechsel kann hinzukommen.

j-Präsentien finden sich in den Klassen V, VI (und VII).

Beispiele:

mit Wechsel "Doppelkonsonanz" -- einfache Konsonanz :

	(1)	(2)	(3)	(4)
idg.	*legh-i̯e/o-	*logh-	*lēgh-	*legh-
germ.	*leg-i̯i/a-	*lag-	*lē₁g-	*leg-
wg.	*ligg-i̯i/a-	*lag-	*lē₁g-	*leg-
ahd.	liggen	lag	lāgum	(gi)legan
nhd.	(liegen)	ich lag	wir lagen	(ge)legen

mit Wechsel Affrikata -- Spirans :

	(1)	(2)	(3)	(4)
idg.	*sed-i̯e/o-	*sod-	*sēd-	*sed
germ.	*set-i̯i/a-	*sat-	*sē$_1$t-	*set-
wg.	*sitt-i̯i/a-	*sat	*sē$_1$t-	*set-
ahd.	sitzen	saz	sāzzum	(gi)sezzan
nhd.	sitzen	ich saß	wir saßen	(ge)sessen
idg.	*skab-i̯e/o- (?)			
germ.	*skap-i̯i/a-	*skōp-	*skōp-	*skap-
wg.	*skapp-i̯i/a-	*skōp-	*skōp-	*skap-
ahd.	scepphen	scuof	scuoffum	(gi)scaffan
nhd.	schöpfen	ich schuf	wir schufen	(ge)schaffen

mit grammatischem Wechsel:

	(1)	(2)	(3)	(4)
idg.	*kap-i̯e/o- (?)			
germ.	*haf-i̯i/a-	*hōf-	*hōb-	*hab-
wg.	*haff-i̯i/a-	*hōf-	*hōb-	*hab-
ahd.	heffen	huob	huobum	(gi)haban
nhd.	(heben)	(ich hob)	(wir hoben)	((ge)hoben)

Bei den ursprünglich ebenfalls vorhandenen j-Präsentien der Klassen I - IV zeigte die Wurzel im Präsensstamm Schwundstufe:

cf. idg. Wurzel *bheidh- (Klasse I)

davon abgeleitete Präsensstämme: (1) *bheidh-e/o-

(2) *bhidh-i̯e/o-

In den einzelnen germanischen Sprachen wurde nun zum Präsensstamm *biđ-i̯i/a- (wg. *bidd-i̯i/a-) analog zu *set-i̯i/a- (wg. *sitt-i̯i/a-) und *leǥ-i̯i/a- (wg. *ligg-i̯i/a-) ein neues Präteritum nach Klasse V gebildet. Gleichzeitig erfolgte Bedeutungsdifferenzierung:

germ.	*beiđ-i/a-	Klasse I	"(er)warten"
germ.	*biđ-i̯i/a- (*bidd-i̯i/a-)	Klasse V	"fordern, bitten"

Stammformen:

	(1)	(2)	(3)	(4)
germ.	*biđ-i̯i/a-			
wg.	*bidd-i̯i/a-	*bad-	*bē$_1$d-	*bed-
ahd.	bitten	*bat	bātum	(gi)betan
nhd.	bitten	ich bat	wir baten	(ge)beten

Außer den j-Präsentien gibt es noch die kleinen Gruppen der Nasalpräsentien und sk-Präsentien:

-- "N a s a l p r ä s e n t i e n" :

Kennzeichen des Präsensstammes ist

idg. */-n- -e-/ bzw. */-n- -o-/
germ. */-n- -i-/ bzw. */-n- -a-/ ,

d.h. N a s a l i n f i x + T h e m a v o k a l .
Die Wurzel zeigt dabei in der Regel Schwundstufe.

Vergleichbar sind lat. Präsentien vom Typ (re)linquere (Perfekt: (re)līquī) .

Die Gruppe der Nasalpräsentien ist in den einzelnen germanischen Sprachen nur noch in Resten greifbar. In den meisten Fällen wurde der Nasal durch Systemausgleich auch in die Formen des Präteritums übertragen. Dieser Vorgang ist an einem Beispiel noch verfolgbar:

cf. idg. Wurzel *stā- (Schwundstufe: *stə-) , erweitert zu *stā-t- (*stə-t-) "stehen" :

dazu gehört folgendes Starkes Verbum der Klasse VI :

	(1)	(2)	(3)	(4)
idg.	*stǝ-n-t-é/ó-	*stā-t-	*stā-t-	*stǝ-t-
germ.	*sta-n-đ̆-i/a-	*stō-đ̆-	*stō-đ̆-	*sta-đ̆-
got.	standan	stōþ	stōþun (3.Pl.)	--
ae.	standan	stōd	stōdon	(ge)standen
ne.	to stand	I stood	we stood	(stood)
ahd.	stantan	stuont (selten noch: stōt, stuat usw.)	stuontum (selten noch: stōtun, stuatun usw.)	(gi)stantan
nhd.	--	ich stund (altertümlich)	wir stunden (altertümlich)	(ge)standen

In anderen Fällen kann dieser Vorgang erschlossen werden:

cf. idg. (erweiterte) Wurzel *rei-u̯- "fließen" (z.B. in lat. rīvus "Fluß").
Dazu gehört als (schwundstufiges) Nasalpräsens

idg. *ri-n-u̯-e/o- ,

das im Germanischen aufgrund der Assimilation /-nu̯-/ → /-nn-/ als

germ. *rinn-i/a-

erscheint und damit nach Klasse III behandelt wird:

	(1)	(2)	(3)	(4)
idg.	*ri-n-u̯-e/o-			
germ.	*rinn-i/a-	*rann-	*runn-	*runn-
ahd.	rinnan	ran(n)	runnum	(gi)runnan
nhd.	rinnen	ich rann	(wir rannen)	(ge)ronnen

In wieder anderen Fällen ist im Präsensstamm Nasalschwund (vor /-h-/) eingetreten:

cf. idg. (erweiterte) Wurzel *lei-q$^{u̯}$- "zurücklassen".
Dazu gehört als (schwundstufiges) Nasalpräsens

idg. *li-n-q$^{u̯}$-e/o- (lat. -linquere !!!) ,

das im Germanischen zunächst als

germ. *li-n-h$^{u̯}$-i/a-

erscheint, woraus durch Nasalschwund vor /-h-/ und nachfolgende Ersatzdehnung

germ. *līh$^{u̯}$-i/a-

werden muß. Da /ī/ und /ei/ gemeingermanisch zusammenfallen, liegt ein "normaler" Präsensstamm der I. Klasse vor:

	(1)	(2)	(3)	(4)
idg.	*li-n-q$^{u̯}$-e/o-	*loi-q$^{u̯}$-	*li-q$^{u̯}$-	*li-q$^{u̯}$-
germ.	*li-n-h$^{u̯}$-i/a- → *līh$^{u̯}$-i/a-	*lai-h$^{u̯}$-	*li-ǥ$^{u̯}$-	*li-ǥ$^{u̯}$-
ahd.	līhan	lēh	liwum	(gi)liwan
nhd.	leihen	(ich lieh)	wir liehen	(ge)liehen

Gelegentlich ist der Nasal, ehe er im Präsensstamm dem Nasalschwund vor /-h-/ zum Opfer fiel, in die Formen des Präteritums, die gleichzeitig grammatischen Wechsel zeigten, übertragen worden:

cf. idg. (erweiterte) Wurzel *pē-k- (Schwundstufe: *pǝ-k-) (Nebenform: *pē-g- / *pǝ-g-) "befestigen, festhalten" .

Dazu gehört als (schwundstufiges) Nasalpräsens

idg. *pǝ-n-k-e/o- bzw. *pǝ-n-g-e/o- (in lat. pangere / Perfekt pepigī) ,

das im Germanischen zunächst als

germ. *fa-n-h-i/a-

erscheint, woraus durch Nasalschwund vor /-h-/ und nachfolgende Ersatzdehnung

germ. *fāh-i/a-

werden muß. Es handelt sich um ein Verbum der Klasse VII:

	(1)	(2)	(3)	(4)
idg. germ. ahd. nhd.	*pə-n-k-e/o- *fa-n-h-i/a- *fāh- fāhan (fangen)	 fiang ich fing	 fiangum wir fingen	 (gi)fangan (ge)fangen

-- "sk-Präsentien":

Kennzeichen des Präsensstammes ist

idg. */-ske-/ bzw. */-sko-/

germ. */-ski-/ bzw. */-ska-/ .

Vergleichbar sind lateinische Präsentien vom Typ crē-sce-re (Perfekt: crēvī) .

Auch bei dieser Gruppe ist das Präsenskennzeichen in den germanischen Sprachen "verallgemeinert", d.h. auf die Formen des Präteritums ausgedehnt worden:

cf. idg. Wurzel *u̯od- "Wasser". Dazu gehört als sk-Präsens

idg. *u̯od-ske/o-

= germ. *u̯at-ski/a- ,

das zu

germ. *u̯ask-i/a-

assimiliert und dann nach Klasse VI behandelt wird:

	(1)	(2)	(3)	(4)
germ.	*u̯ask-i/a-	*u̯ōsk-	*u̯ōsk-	*u̯ask-
ahd.	uuascan	uuuosc	uuuoscum	(gi)uuascan
nhd.	waschen	ich wusch	wir wuschen	(ge)waschen

Ähnlich zu beurteilen sind einige Starke Verben der Klassen III (IV):

ahd. drescan (nhd. dreschen) = germ. *þresk-i/a-

ahd. (ir)lescan (nhd. (er)löschen) = germ. *lesk-i/a- .

Dem germanischen *þresk-i/a- liegt ein altes sk-Präsens zur idg. Wurzel *ter- "reiben" zugrunde (cf. lat. terere frūmentum), also

idg. *tre-ske/o- ;

germ. *lesk-i/a- baut auf

idg. *legh-ske/o-

auf, einem sk-Präsens zur idg. Wurzel *legh- "liegen" und bedeutet ursprünglich "sich legen".

Ad (3) : Optativkennzeichen:

Das indogermanische Kennzeichen des Optativs ist das Morphem

idg. */-i̯ē-/ bzw. (Schwundstufe) */-ī-/ (für: */-i̯ə-/ ;

cf. etwa lat. s-iē-m , s-iē-s , s-iē-t "ich sei, du seiest, er sei"

s-ī-mus , s-ī-tis , s-ī-nt "wir seien, ihr seiet, sie seien" .

Beim Starken Verbum verbindet sich in den Formen des Optativ Präsens idg. */-ī-/ mit dem vorausgehenden Themavokal idg. */-o-/ (germ. */-a-/) zu

idg. */-oi-/

germ. */-ai-/ ,

das im Althochdeutschen zu /-ē-/ monophthongiert wird.

In den Formen des Optativs des Präteritums hat das Optativkennzeichen /-ī-/ in den einzelnen germanischen Sprachen Umlaute hinterlassen (z.B. mittelhochdeutscher i-Umlaut).

Daher:

nhd. ich würde, wir würden gegenüber	aus ahd. uuurti , uuurtīm	
nhd. wird wurden	aus ahd. uuurtum	
nhd. ich gäbe, wir gäben gegenüber	aus ahd. gābi , gābīm	
nhd. wir gaben	aus ahd. gābum	
nhd. ich führe, wir führen gegenüber	aus ahd. fuori , fuorīm	
nhd. wir fuhren	aus ahd. fuorum	

Ad (4) : P e r s o n a l e n d u n g e n :

Drei Systeme von Personalendungen sind zu unterscheiden:

-- das System der P r i m ä r e n d u n g e n ,

-- das System der S e k u n d ä r e n d u n g e n ,

-- das System der P e r f e k t e n d u n g e n .

[Die nachstehende Übersicht beschränkt sich, wie auch die Tabelle auf S. 8o , auf die 1.2.3.Sg. und die 3.Pl.]

	Primärendungen	Sekundärendungen	Perfektendungen
Sg. 1.	*/-m -i/ = */-mi/ oder */-H /	*/-m /	*/-H e/ = */-a/
2.	*/-s -i/ = */-si/	*/-s /	*/-tHe/ = */-tha/
3.	*/-t -i/ = */-ti/	*/-t /	*/- e/ = */-e/
Pl. 3.	*/-nt-i/ = */-nti/	*/-nt/	

Für die Verteilung gilt prinzipiell folgendes:

-- Primärendungen: Ind.Präs.

Dabei wird die 1.Sg.Ind.Präs. beim Starken Verbum mit der Endung */-H/ gebildet, die sich mit dem vorausgehenden Themavokal */-o-/ zu

idg./germ. */-ō/

verbindet;

-- Sekundärendungen:m Opt.Präs.
1.2.3.Pl.Ind.Prät.
Opt.Prät.

-- Perfektendungen: 1.2.3.Sg.Ind.Prät.

Eine westgermanische Neuerung betrifft die 2.Sg.Ind.Prät.; diese wird ursprünglich, so noch im Gotischen und in den nordgermanischen Sprachen, wie die 1. und 3. Sg.Ind.Prät. von Stamm (2) und mit der Perfektendung der 2.Sg. gebildet:

cf.						
got.	1.Sg.Ind.Prät.	bar	"ich trug"	aus	idg.	*bhor-a
	2.Sg.Ind.Prät.	bar-t	"du trugest"	aus	idg.	*bhor-tha
	3.Sg.Ind.Prät.	bar	"er trug"	aus	idg.	*bhor-e

In den westgermanischen Sprachen ist sie ersetzt durch eine Form, die von Stamm (3) + Themavokal */-e-/ (!) und mit der Sekundärendung der 2.Sg. gebildet wird:

cf.						
ahd.	1.Sg.Ind.Prät.	bar	"ich trug"	aus	idg.	*bhor-a
	2.Sg.Ind.Prät.	bāri	"du trugest"	aus	idg.	*bhēr-e-s
	3.Sg.Ind.Prät.	bar	"er trug"	aus	idg.	*bhor-e

Im Neuhochdeutschen ist diese Form wieder aus dem System des Starken Verbums verschwunden und durch eine Neubildung in Analogie zu den anderen Formen der 2.Sg. ersetzt worden.

Der Unterschied zwischen Primär- und Sekundärendungen ist in den germanischen Sprachen vor allem dadurch relevant geblieben, daß hier im Wortauslaut "gedeckte" Konsonanz (z.B. */-ti, -nti/) anders behandelt wird als "nicht gedeckte" Konsonanz (z.B. */-t , -nt/)) .

Cf.								
idg. *bher-e-ti	3.Sg.Ind.Präs.	=	germ. *ƀer-i-đ	=	ahd. bir-i-t	=	nhd.	sie (ge)biert
gegenüber								
idg. *bher-oi-t	3.Sg.Opt.Präs.	=	germ. *ƀer-ai-	=	ahd. ber-e	=	nhd.	sie (ge)bäre

idg. *bher-o-nti 3.Pl.Ind.Präs. = germ. *ber-a-nđ = ahd. ber-a-nt [= nhd. sie (ge)bären]
gegenüber
idg. *bher-oi-nt 3.Pl.Opt.Präs. = germ. *ber-ai-n = ahd. ber-ē-n = nhd. sie (ge)bären

Eine Besonderheit betrifft die 2.S.: diese zeigt im Deutschen wie im Englischen seit der ältesten Zeit eine Personalendung

-st ,

die ursprünglich neben der Endung -s vorkommt, im Laufe der Zeit diese aber verdrängt; die -st-Endung geht vermutlich auf falsche Auflösung von Inversionen zurück; also

ahd. birist "du trägst" neben älterem biris aus biristu "trägst du" , nhd. du (ge)bierst ;

entsprechend

ae. birst "du trägst" neben älterem bires aus birestu "trägst du" , ne. thou bearst .

Eine abschließende Übersicht über die finiten Formen des Starken Verbums gibt die Tabelle auf S. 80 ; diese Tabelle beschränkt sich auf die 1.2.3.Sg. und die 3.Pl.

Zu den infiniten Formen des Starken Verbums:

-- der I n f i n i t i v ist ein vom Präsensstamm abgeleitetes neutrales Verbalnomen auf /-no-/ :

Stamm (1) [Themavokal: /-o-/] + /-no-/ ;

-- das P a r t i z i p P r ä s e n s ist ein vom Präsensstamm abgeleitetes Verbaladjektiv auf /-nt-/ , das in den westgermanischen Sprachen zu einem /-io-/ -Stamm erweitert ist:

Stamm (1) [Themavokal: /-o-/] + /-nt-/ + /-i̯o-/ ;

-- das P a r t i z i p d e s P r ä t e r i t u m s ist ein Verbaladjektiv auf /-nó-/ , das von einem besonderen Stamm -- Stamm (4) -- abgeleitet ist:

Stamm (4) + Themavokal /-o-/ + /-nó-/

In den westgermanischen Sprachen wird das Partizip des Präteritums durch das Präfix ga- verstärkt.

D a s S c h w a c h e V e r b u m :

Die große Gruppe der Schwachen Verben wird in 3 Klassen unterteilt. Kriterien für diese Einteilung ("Klassenkennzeichen") sind die den Präsensstamm dieser Verben charakterisierenden stammbildenden Elemente; die Bezeichnung der einzelnen Klassen rührt von den jeweiligen germanischen Infinitiv-Endungen her.

-- K l a s s e I : "jan-Verben" Klassenkennzeichen: germ. */-i̯-/ Infinitiv auf */-i̯-a-n(a)/
-- K l a s s e II : "ōn-Verben" Klassenkennzeichen: germ. */-ō-/ Infinitiv auf */-ō-n(a)/
-- K l a s s e III : "ēn-Verben" Klassenkennzeichen: germ. */-ē-/ Infinitiv auf */-ē-n(a)/

Zu Klasse I : Die meisten "jan-Verben" sind Ableitungen von Nomina mit der Funktion von Faktitiva oder Ableitungen von Starken Verben mit der Funktion von Kausativa (seltener mit der Funktion von Intensiva).

Bei den

D e n o m i n a t i v a (F a k t i t i v a)

handelt es sich um Ableitungen von Stämmen auf idg. */-e-/ bzw. */-o-/ (= Germ. */-i-/ bzw. */-a-/) mit Hilfe eines Suffixes idg. */-i̯e-/ bzw. */-i̯o-/ (= germ. */-i̯i-/ bzw. */-i̯a-/), also

idg. */-e-i̯e-/ bzw. */-e-i̯o-/
germ. */-i-(i̯)i-/ = */-i̯-i-/ bzw. */-i-(i̯)a-/ = */-i̯-a-/

Ableitungssuffix der

K a u s a t i v a z u S t a r k e n V e r b e n

ist idg. */-éi̯-/ (= germ. */-ii̯-/ (+ Themavokal). Bei Kausativa zu Starken Verba der Klassen I - VI tritt Ablaut ein, und zwar zeigt die Wurzel bei Kausativa der Klassen I - V Abtönungsstufe; Wurzelvokal der Kausativa der Klasse VI ist germ. /-ō-/ . Grammatischer Wechsel kann hinzukommen, da das Suffix idg. */-ei-/ den Akzent trägt. Also

	indogermanisch					germanisch	gotisch	altenglisch	neuenglisch	althochdeutsch	neuhochdeutsch
	Wurzel	stamm-bildendes Element	Optativ-kenn-zeichen	Personal-endung							
Ind.Präs. Sg. 1.	*bher-	-o-		-H	*bher-ō	*ƀer-ō	baír-a	ber-u , ber-e	I bear	bir-u	[ich (ge)bäre]
2.	*bher-	-e-		-si	*bher-e-si	*ƀer-i-s (-z)	baír-i-s	bir-e-s(t) , bir-s(t) [ber-e-s(t)]	[thou bearest]	bir-i-s(t)	du (ge)bierst
3..	*bher-	-e-		-ti	*bher-e-ti	*ƀer-i-đ (-þ)	baír-i-þ	bir-e-đ , bir-đ [ber-e-đ , ber-đ] → [bere-s , ber-s]	[he beareth] [he bears]	bir-i-t	sie (ge)biert
Pl. 3.	*bher-	-o-		-nti	*bher-o-nti	*ƀer-a-nđ (-nþ)	baír-a-nd	ber-a-đ	they bear	ber-a-nt	sie (ge)bären
Opt.Präs. Sg. 1.	*bher-	-o-	-ī-	-m	*bher-oi-m	*ƀer-ai-	[baír-au]	ber-e	I bear	ber-e	ich (ge)bäre
2.	*bher-	-o-	-ī-	-s	*bher-oi-s	*ƀer-ai-s (-z)	baír-ai-s	ber-e	thou bear	ber-ē-s(t)	du (ge)bärest
3.	*bher-	-o-	-ī-	-t	*bher-oi-t	*ƀer-ai-	baír-ai	ber-e	he bear	ber-e	sie (ge)bäre
Pl. 3.	*bher-	-o-	-ī-	-nt	*bher-oi-nt	*ƀer-ai-n	baír-ai-n(-a)	ber-e-n	they bear	ber-ē-n	sie (ge)bären
Ind.Prät. Sg. 1.	*bhor-			-a	*bhor-a	*ƀar-	bar	bær	[I bore]	bar	ich (ge)bar
2.	*bhor- *bhēr-	-e-		-tha -s	*bhor-tha *bhēr-e-s	*ƀar-t *ƀē$_1$r-i-z	bar-t	bǣr-e	[thou bore(st)]	bār-i	[du (ge)bar(e)st]
3.	*bhor-			-e	*bhor-e	*ƀar-	bar	bær	[he bore]	bar	sie (ge)bar
Pl. 3.	*bhēr-			-nt	*bhēr-n̥t	*ƀē$_1$r-un	bēr-un	bǣr-on	[they bore]	bār-un	sie (ge)baren
Opt.Prät. Sg. 1.	*bhēr-		-ī-	-m	*bhēr-ī-m	*ƀē$_1$r-ī-	[bēr-jau]	bǣr-e	--	bār-i	ich (ge)bäre
2.	*bhēr-		-ī-	-s	*bhēr-ī-s	*ƀēr$_1$-ī-s (-z)	bēr-ei-s	bǣr-e	--	bār-ī-s	du (ge)bärest
3.	*bhēr-		-ī-	-t	*bhēr-ī-t	*ƀēr$_1$-ī-	bēr-ei	bǣr-e	--	bār-i	sie (ge)bäre
Pl. 3.	*bhēr-		-ī-	-nt	*bhēr-ī-nt	*ƀē$_1$r-ī-n	bēr-ei-n(-a)	bǣr-e-n	--	bār-ī-n	sie (ge)bären
Infinitiv	*bher-	-o- -no-		-m	*bher-o-no-m	*ƀer-a-na-	baír-a-n	ber-a-n	to bear	ber-a-n	(ge)bären
Part.Präs.	*bher-	-o- -nt-	[-i̯o-]	-s	*bher-o-nt-[-i̯o-]-s	*ƀer-a-nđ-[-i̯a-]-z	baír-a-nd-s	ber-e-nd-e	--	ber-a-nt-i	(ge)bärend
Part.Prät.	*bhr̥-	-o- -nó-		-s	*bhr̥^{r}-o-nó-s	*ƀur-a-na-z	baúr-a-n-s	(ge)bor-e-n	born	(gi)bor-a-n	(ge)boren

idg. */-ei-e-/ bzw. */-ei-o-/
germ. */-i(i)-i-/ bzw. */-i(i)-a-/
= */-i-i-/ = */-i-a-/

Das i-Suffix der "jan-Verben" bewirkt in den westgermanischen Sprachen sowohl bei den faktitiven Denominativa wie auch bei den Kausativa zu Starken Verben Umlaute (z.B. althochdeutscher i-Umlaut, mittelhochdeutscher i-Umlaut) und Konsonantengemination mit entsprechenden Folgeerscheinungen im althochdeutschen Konsonantismus.

Beispiele:

D e n o m i n a t i v a :

Vergleichbar sind lateinische Faktitiva vom Typ salvus "heil" (St.: salv-e-) → salveō "heile" (= salv-e-(i)ō !) und lateinische Kausativa vom Typ dīscō "lerne" (Wz. dec-) → doceō "lehre" (= doc-e(i)-ō !)

	Nomen	Stamm:		Schwaches Verbum (Faktitivum)	
germ.	*hail-a-z	*hail-i- *hail-a-	→	*hail-i-(i)a-na	= *hail-i-a-n(a)
got.	hails				hailjan
wg.	*hail-a				*hail(l)-i-a-n
ae.	hāl, hæl				hælan
ne.	whole, hale				--
ahd.	heil				heilen
nhd.	heil				heilen
germ.	*laus-a-z	*laus-i- *laus-a-	→	*laus-i-(i)a-na	= *laus-i-a-n(a)
got.	*laus				lausjan
wg.	*laus-a				*laus(s)-i-a-n
ae.	lēas				līesan
ne.	-less				--
ahd.	lōs				lōsen
nhd.	los				lösen
germ.	*hat-i-z	*hat-i-	→	*hat-i-(i)a-na	= *hat-i-a-n(a)
got.	hatis				--
wg.	*hat-i				*hatt-i-a-n
ae.	heti				hettan
ne.	--				--
ahd.	haz				hetzen
nhd.	Haß				hetzen

K a u s a t i v a :

s. Tabelle S. 84.

Zu Klasse II : Auch die meisten "ōn-Verben" sind Denominativa. Ursprünglich handelt es sich um Faktitiva zu Stämmen auf idg. */-ā-/ (= germ. */-ō-/) ; das Suffix wurde jedoch verallgemeinert und zu Ableitungen auch von anderen Stämmen benützt. In den "ingvæonischen" Sprachen (Englisch, Friesisch, Niederdeutsch) ist das Klassenkennzeichen germ. */-ō-/ zu */-ō-ii-/ bzw. */-ō-ia-/ erweitert worden. Also:

idg. */-ā-/
germ. */-ō-/
[ingv. */-ō-ii-/ bzw. */-ō-ia-/]

Beispiele:

Vergleichbar sind lateinische Denominativa vom Typ planta → plantāre, pisc-i-s → pisc-ā-rī

	Nomen	Stamm:		Schwaches Verbum (Faktitivum)		
germ.	*salƀ-ō	*salƀ-ō-	→	*salƀ-ō-n(a)	oder	*salb-ō-ia-n(a)
got.	--			salbōn		—
ae.	sealf(e)			—		*sealfian
ne.	salve			—		to salve
ahd.	salba			salbōn		—
nhd.	Salbe			salben		—

Klasse:		Starkes Verbum	Schwaches Verbum (Kausativum)
I	idg.	*léit-o-no-m	*loit-éi-o-no-m
	germ.	*leiþ-a-na	*laiđ-i(i)-a-na-
	got.	(bi)leiþan	--
	wg.	*līþ-a-n	*laid(d)-i-a-n
	ae.	līđan	lǣdan
	ne.	--	to lead
	ahd.	līdan	leiten
	nhd.	leiden	leiten
II	idg.	*bhéugh-o-no-m	*bhough-éi-o-no-m
	germ.	*beuǥ-a-na	*bauǥ-i(i)-a-na
	got.	biugan	(us)baugjan
	wg.	*beoǥ-a-n	*bauǥ(ǥ)-i-a-n
	ae.	[būgan]	bīegan
	ne.	[(to bow)]	--
	ahd.	biogan	bougen
	nhd.	biegen	beugen
III	idg.	*dhréng-o-no-m	*dhrong-éi-o-no-m
	germ.	*đrenk-a-na	*đrank-i(i)-a-na
	got.	drigkan	dragkjan
	wg.	*drink-a-n	*drank(k)-i-a-n
	ae.	drincan	drencan
	ne.	to drink	--
	ahd.	trinkan	trenken
	nhd.	trinken	tränken
IV	--		
V	idg.	*nés-o-no-m	*nos-éi-o-no-m
	germ.	*nes-a-na	*naz-i(i)-a-na
	got.	(ga)nisan	nasjan
	wg.	*nes-a-n	*nar(r)-i-a-n
	ae.	nesan	nerian
	ne.	--	--
	ahd.	(gi)nesan	nerian, nerren
	nhd.	(ge)nesen	(er)nähren
VI	[idg.	*pōr-o-no-m	*pōr-éi-o-no-m]
	germ.	*far-a-na	*fōr-i(i)-a-na
	got.	faran	--
	wg.	*far-a-n	*fōr(r)-i-a-n
	ae.	faran	fēran
	ne.	--	--
	ahd.	faran	fuoren
	nhd.	fahren	führen

Klasse:		Starkes Verbum	Schwaches Verbum (Kausativum)
V	idg.	*séd-o-no-m *sēd-io-no-m	*sod-éi-o-no-m
	germ.	*set-a-na *set-ia-na	*sat-i(i)-a-na
	got.	sitan	satjan
	wg.	*sitt-ia-n	*satt-i-a-n
	ae.	sittan	settan
	ne.	to sit	to set
	ahd.	sitzen	setzen
	nhd.	sitzen	setzen
	idg.	*légh-o-no-m *lēgh-io-no-m	*logh-éi-o-no-m
	germ.	*leǥ-a-na *leǥ-ia-na	*laǥ-i(i)-a-na
	got.	ligan	lagjan
	wg.	*ligg-ia-n	*lagg-i-a-n
	ae.	licgan	lecgan
	ne.	to lie	to lay
	ahd.	liggen	leggen
	nhd.	(liegen)	(legen)
VII	idg.	?	?
	germ.	*fall-a-na	*fall-i(i)-a-na
	got.	--	--
	wg.	*fall-a-n	*fall-i-a-n
	ae.	feallan	fiellan
	ne.	to fall	to fell
	ahd.	fallan	fellen
	nhd.	fallen	fällen
	idg.	?	?
	germ.	*hanh-a-na *hāh-a-na	*hanǥ-i(i)-a-na
	got.	hāhan	--
	wg.	*hāh-a-n	*hang(g)-i-a-n
	ae.	hōn	--
	ne.	--	--
	ahd.	hāhan	hengen, henken
	nhd.	(hangen)	hängen, henken

	Nomen	Stamm:	Schwaches Verbum (Faktitivum)		
germ.	*fisk-a-z	*fisk{i} *fisk{a} →	*fisk-ō-n(a)	oder	*fisk-ō-i̯a-n(a)
got.	fisks		fiskōn		--
ae.	fisc		--		fiscian
ne.	fish		--		to fish
ahd.	fisc		fiscōn		--
nhd.	Fisch		fischen		--

Seltener sind Deverbativa,

I n t e n s i v a   z u   S t a r k e n   V e r b e n ;

die Wurzel zeigt hier in der Regel Ablaut; grammatischer Wechsel kommt gegebenenfalls hinzu.

Beispiel:

	Starkes Verbum	Schwaches Verbum (Intensivum)		
germ.	*finþ-a-n(a)	*fand-ō-n(a)	oder	*fand-ō-i̯a-n(a)
got.	finþan	--		--
ae.	findan			fandian
ne.	to find	--		--
ahd.	findan	fantōn		
nhd.	finden	fahnden		

Zu Klasse III : Bei den "ēn-Verben" handelt es sich teils um Zustandsverben (Durativa), teils um Inkohativa. Die

D u r a t i v a

sind unmittelbar von der Wurzel abgeleitet; bei den

I n c h o a t i v a

handelt es sich um Denominativa. Klassenkennzeichen ist das Suffix

idg./germ. */-ē-/ ,

das teilweise um idg. */-i̯e-/ bzw. */-i̯o-/ (= germ. */-i̯i-/ bzw. */-i̯a-/) erweitert wurde.

In größerem Ausmaße finden sich "ēn-Verben" nur im Hochdeutschen. In den "ingvæonischen" Sprachen (Englisch, Friesisch, Niederdeutsch) ist die Gruppe sogar bis auf wenige Reste aufgelöst. Die in diesen Sprachen noch hierher gehörigen Verben (die Verben "leben", "haben", "sagen") bilden überdies einzelne Formen nach Klasse I der Schwachen Verben; es handelt sich also um einen Mischtypus.

Beispiele:

D u r a t i v a :

ahd.	lebēn	=	nhd.	leben
ahd.	habēn	=	nhd.	haben
ahd.	sagēn	=	nhd.	sagen
ahd.	uuonēn	=	nhd.	wohnen
ahd.	uuerēn	=	nhd.	währen

Vergleichbar sind lateinische Durativa vom Typ tacēre

I n k o h a t i v a :

ahd.	fūlēn	=	nhd.	faulen	zu	ahd.	fūl	=	nhd.	faul
ahd.	rīffēn	=	nhd.	reifen	zu	ahd.	rīf	=	nhd.	reif
ahd.	tagēn	=	nhd.	tagen	zu	ahd.	tag	=	nhd.	Tag

Zum Präteritum der Schwachen Verben:

Das Schwache Präteritum ist eine Besonderheit der germanischen Sprachen. Seinen Ursprung hat es vermutlich in periphrastischen Formen, die durch Umschreibung mit einem Aorist des Verbums "tun" (idg. Wurzel *dhē- / *dhō- / *dhə-) gebildet sind. [Als Aorist wird ein in einigen älteren indogermanischen Sprachen nachweisbares Tempus bezeichnet, das zum Ausdruck punktueller Handlungen dient; ein Aorist begegnet z.B. im Altindischen und Altgriechischen.]

Cf. dazu:

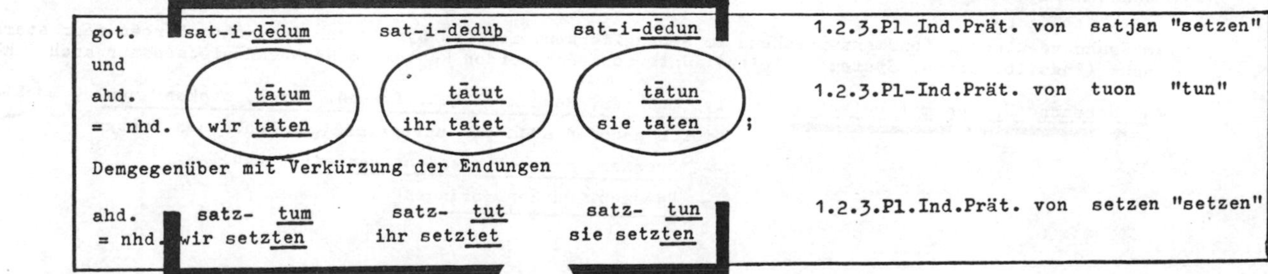

got.	sat-i-dēdum	sat-i-dēduþ	sat-i-dēdun	1.2.3.Pl.Ind.Prät. von satjan "setzen"
und				
ahd.	tātum	tātut	tātun	1.2.3.Pl-Ind.Prät. von tuon "tun"
= nhd.	wir taten	ihr tatet	sie taten ;	

Demgegenüber mit Verkürzung der Endungen

ahd.	satz- tum	satz- tut	satz- tun	1.2.3.Pl.Ind.Prät. von setzen "setzen"
= nhd.	wir setzten	ihr setztet	sie setzten	

Vor dem Dental der Präteritalendungen erscheinen die Klassenkennzeichen der Schwachen Verben als

*/-i-/ —— (Klasse I) ,
*/-ō-/ —— (Klasse II) und
*/-ē-/ —— (Klasse III) ;

cf.

ahd. nerian	- nerita	[= nhd. nähren	- nährte]
ahd. salbōn	- salbōta	[= nhd. salben	- salbte]
ahd. lebēn	- lebēta	[= nhd. leben	- lebte]

In den westgermanischen Sprachen ist das */-i-/ im Präteritum der "jan-Verben" häufig synkopiert worden, und zwar in der Regel bei Verben mit prosodisch langer Stammsilbe (sowie bei Verben mit mehrsilbigen Stämmen). Die Synkope des */-i-/ erfolgte dabei vor Eintritt des althochdeutschen (und mittelhochdeutschen) i-Umlautes, sodaß diese Verben im Alt- und Mittelhochdeutschen im Präsens Umlaut haben, während das Präteritum keinen Umlaut zeigt. Im Neuhochdeutschen ist dieser Zustand allerdings bis auf wenige Reste aufgrund von Systemausgleich beseitigt worden.

Cf. mit prosodisch kurzer Stammsilbe:

ahd. nerien (nerren)	- nerita	[= nhd. nähren	- nährte]
ahd. dennen	- denita	[= nhd. dehnen	- dehnte]
ahd. leggen	- legita	[= nhd. legen	- legte]
ahd. freuuen	- freuuita	[= nhd. freuen	- freute]

mit prosodisch langer Stammsilbe:

ahd. hōren (hœren !)	- hōrta	[= nhd. hören	- hörte]
ahd. wānen (wænen !)	- wānta	[= nhd. wähnen	- wähnte]
ahd. rennen	- ranta	= nhd. rennen	- rannte
ahd. brennen	- branta	= nhd. brennen	- brannte
ahd. senten	- santa	= nhd. senden	- sandte
ahd. wenten	- wanta	= nhd. wenden	- wandte
ahd. setzen	- satzta	= nhd. setzen	- satzte (altertümlich !) [setzte]
ahd. decchen	- dahta (!)	[= nhd. decken	- deckte

Eine kleine Gruppe von Schwachen Verben der I. Klasse bildet ihr Präteritum gemeingermanisch ohne */-i-/ . Diese Gruppe weist auch sonst Unregelmäßigkeiten auf (Ablaut !). Hierher gehören vor allem:

	"denken"	"dünken"	"bringen"	"wirken"
germ.	*þank-i-a-na -- *þanhtō = *þāhtō	*þunk-i̯-a-na -- *þunhtō = *þūhtō	*breng-a-na (!) -- *branhtō = *brāhtō	*u̯urk-i̯-a-na -- *u̯urhtō
got.	þankjan -- þāhta	þunkjan -- þūhta	briggan -- brāhta	waúrkjan -- waúrhta
ae.	þencean -- þōhte	þyncean -- þūhte	bringan -- brōhte	wyrcean -- worhte
ne.	to think -- thought		to bring -- brought	[to work] -- wrought
ahd.	denken -- dāhta	dunken -- dūhta	bringan -- brāhta	wurken -- worhta
nhd.	denken -- dachte	dünken -- däuchte	bringen -- brachte	würken, wirken [-- würkte, wirkte]

Zum neuhochdeutschen Zustand:

Im Neuhochdeutschen (und entsprechend im Neuenglischen) ist das System der Schwachen Verben sehr stark vereinfacht (Endsilbenabbau, Systemausgleich). Unterschieden werden können im Neuhochdeutschen nur noch 2 Klassen:

-- Schwache Verben mit Umlaut : Typ "nähren, dehnen, legen, freuen, hören, decken" usw. = Klasse I

Hierzu gehören auch die unregelmäßigen Schwachen Verben
-- "rennen, brennen, senden, wenden" und
-- "denken, dünken, bringen" .

-- Schwache Verben ohne Umlaut : Typ "salben, fischen; leben, wohnen, reifen" usw. =

Der Mittelsilbenvokal in den den Formen des Präteritums ist im Neuhochdeutschen grundsätzlich synkopiert.

P r ä t e r i t o p r ä s e n t i e n u n d " m i - V e r b e n " :

Neben den großen Klassen der Starken und Schwachen Verben kennen die germanischen Sprachen noch zwei kleinere Verbgruppen, die "unregelmäßig" flektieren und deren System großenteils defektiv ist und der Ergänzung durch Suppletivformen bedarf. Es handelt sich um die

- P r ä t e r i t o p r ä s e n t i e n und die
- " m i - V e r b e n " .

Präteritopräsentien:

Bei den Präteritopräsentien handelt es sich Starke Präterita, die Präsensbedeutung angenommen haben und zu denen (später) nach dem Muster der Schwachen Verben neue Präteritalformen gebildet wurden; man vergleiche dazu etwa die Präsensformen des neuhochdeutschen Verbums "dürfen" mit einigen Präteritalformen des neuhochdeutschen Verbums "werfen" :

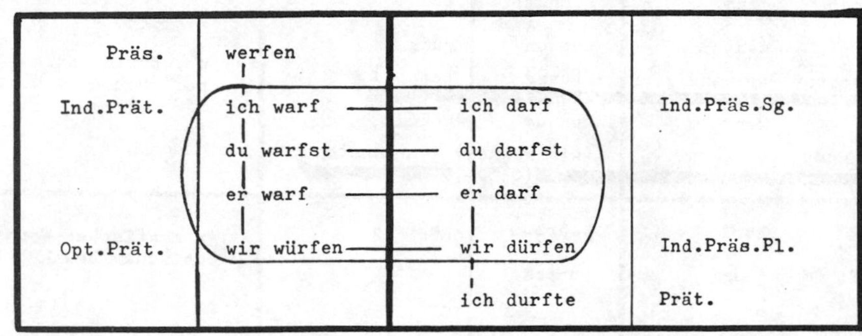

Präs.	werfen		
Ind.Prät.	ich warf	ich darf	Ind.Präs.Sg.
	du warfst	du darfst	
	er warf	er darf	
Opt.Prät.	wir würfen	wir dürfen	Ind.Präs.Pl.
		ich durfte	Prät.

Daß es sich bei den Präteritopräsentien um eine gemeinindogermanische Erscheinung handelt, zeigt das Beispiel

idg. *u̯oid-a "ich weiß" ,

das formal ein Perfekt (Präteritum) zur Wurzel *u̯eid- "sehen" darstellt:

idg.	*u̯oid-a	=	ai.	veda	=	germ.	*u̯ait-	=	got.	wait
			gr.	oîda					ae.	wāt , ne. (god) wot
									ahd.	weiz , nhd. ich weiß

Von zahlreichen Unregelmäßigkeiten abgesehen, weisen die Präteritopräsentien folgende Besonderheiten auf:

-- Die 2.Sg.Ind.Präs. (formal = Prät.) der Präteritopräsentien wird in den westgermanischen Sprachen (ursprünglich) im Gegensatz zur 2.Sg.Ind.Prät. der Starken Verben nicht von Form (3) der jeweiligen Wurzel (+ Themavokal) und mit der Sekundärendung idg. */-s/ gebildet, sondern von Stamm (2) und mit der indogermanischen Perfektendung */-tha/ .

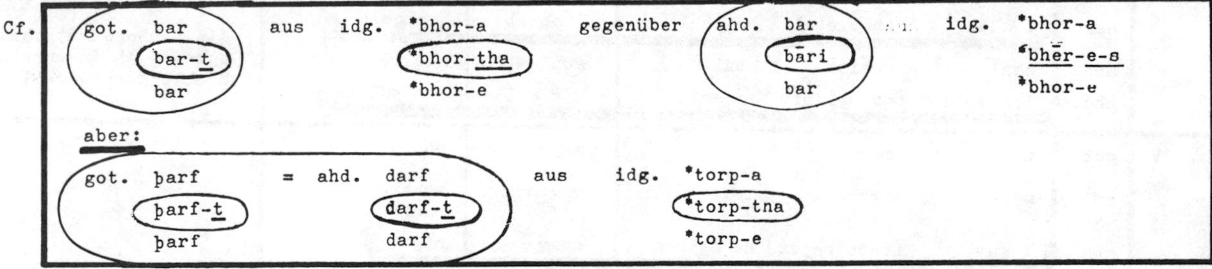

Cf. got. bar / bar-t / bar aus idg. *bhor-a / *bhor-tha / *bhor-e gegenüber ahd. bar / bāri / bar idg. *bhor-a / *bhēr-e-s / *bhor-e

aber:

got. þarf / þarf-t / þarf = ahd. darf / darf-t / darf aus idg. *torp-a / *torp-tna / *torp-e

Allerdings sind diese Formen der 2.Sg. auf -t später durch Formen auf -st ersetzt worden -- in Analogie zu anderen Formen der 2.Sg. Daher

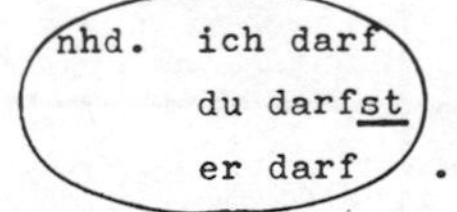

nhd. ich darf
du darfst
er darf .

-- Die meisten Präteritopräsentien fungieren als modale Hilfsverben. Daher haben im Neuhochdeutschen die Pluralformen des Ind.Präs. der Präteritopräsentien häufig die Form der entsprechenden Optativbildungen Starker Verben (Kennzeichen: i-Umlaut):

z.B. nhd. wir können , wir dürfen , wir müssen .

Eine Übersicht über die wichtigsten Präteritopräsentien gibt die Tabelle auf S. 88 .

Klasse:		Ind.Präs. 1.Sg.	2.Sg.	3.Sg.	1.Pl.	Prät.	
I	got.	wait	waist	wait	witum	wissa	-ss- im Präteritum infolge primärer Berührung: germ. *uissō = idg. *uid--dhō später Ersatz von -ss- durch -st-
	ae.	wāt	wāst	wāt	witon	wisse , wiste	
	ne.	--	--	(God) wot	--	--	
	ahd.	uueiz	uueist	uueiz	uuizzum	uuissa , uuista uuessa , uuesta	
	nhd.	ich weiß	du weißt	er weiß	wir wissen	ich wußte	
	got.	aih	--	aih	aigum aihum	aihta	hierher gehört als altes Partizip des Präteritums ahd. eigen nhd. eigen
	ae.	āh , āg	āhst	āh , āg	āgon	āhte	
	ne.	owe				ought	
	ahd.	--	--	--	eigun	--	
	nhd.	--	--	--	-- (3.Pl.)	--	
I I I	got.	kann	kan(n)t	kann	kunnum	kunþa	ne. could nach ne. should , would (!)
	ae.	can(n)	canst	can(n)	cunnon	cūde	
	ne.	I can	thou canst	he can	[can]	[could]	
	ahd.	kan	kanst	kan	kunnum	konda	
	nhd.	ich kann	du kannst	er kann	(wir können) (Opt.!)	ich konnte	
	got.	þarf	þarft	þarf	þaúrbum	þaúrfta	grammatischer Wechsel im Gotischen bewahrt !
	ae.	þearf	þearft	þearf	þurfon	þorfte	
	ne.	--	--	--	--	--	
	ahd.	darf	darft	darf	durfum	dorfta	
	nhd.	ich darf	[du darfst]	er darf	(wir dürfen) (Opt.!)	ich durfte	
	got.	(ga)dars	--	(ga)dars	(ga)daúrsum	(ga)daúrsta	ursprünglich grammatischer Wechsel rs - rz (rr) ; daher Formen mit -rst- !
	ae.	dear(r)	dearst	dear(r)	durren	dorste	
	ne.	dare				durst	
	ahd.	(gi)tar	(gi)tarst	(gi)tar	(gi)turrum	(gi)torsta	
	nhd.	--	--	--	--	--	
I V	got.	skal	skalt	skal	skulum	skulda	die neuhochdeutschen Formen haben sich in unbetonter Stellung entwickelt
	ae.	sceal	scealt	sceal	sculon sceolon	sceolde	
	ne.	I shall	thou shalt	he shall	[shall]	I should	
	ahd.	scal	scalt	scal	sculum	scolta	
	nhd.	ich soll	[du sollst]	er soll	wir sollen	ich sollte	
V	got.	mag	magt	mag	magum	mahta	ahd. mugum usw. nach Klasse III
	ae.	mæg	meaht miht	mæg	magon	meahte mihte	
	ne.	I may	[thou mayst]	he may	may	might	
	ahd.	mag	maht	mag	magum mugum	mahta mohta	
	nhd.	ich mag	[du magst]	er mag	(wir mögen) (Opt.!)	ich mochte	
V I	got.	(ga)mōt	(ga)mōst	(ga)mōt	(ga)mōtum	(ga)mōsta	-s- bzw. -st- im Präteritum infolge primärer Berührung
	ae.	mōt	mōst	mōt	mōton	mōste	
	ne.	mote				must	
	ahd.	muoz	muost	muoz	muozum	muosa muosta	
	nhd.	ich muß	du mußt	er muß	(wir müssen) (Opt.!)	ich mußte	

"mi-Verben":

Als "mi-Verben" bezeichnet man eine kleine Gruppe "unregelmäßiger" Verben, die folgende Besonderheiten verbindet:

-- sie bilden die 1.Sg.Ind.Präs. mit der Personalendung idg. */-mi/ (= germ. */-m/) (Primärendung der 1.Sg.) , nicht wie die Starken Verben mit der Endung idg./germ. */-ō/ (= Themavokal idg. */-o-/ + Personalendung idg. */-H/) ;

-- die Personalendungen treten im Ind.Präs. unmittelbar an die Wurzel; d.h. die "mi-Verben" bilden ihre Formen ohne Themavokal oder sonstiges stammbildendes Element. Sie heißen daher auch Wurzelverben oder athematische Verben .

Zu den "mi-Verben" gehören

(1) das Verbum " s e i n " ;

(2) die Verben " t u n , g e h e n , s t e h e n " ;

(3) das Verbum " w o l l e n " .

(1) Das Verbum " s e i n " bildet seine Präsensformen von verschiedenen indogermanischen Wurzeln:

-- idg. Wurzel *es- (Schwundstufe *s-) Hierher gehören:

	idg.	germ.	got.	ahd.	nhd.
Ind.Präs. Sg. 1.	*es-mi	*im-m	im	[b]im	ich [b]in
2.	*es-si	*is-s	is	[b]is(t)	du [b]ist
3.	*es-ti	*is-t	ist	ist	er ist
Pl. 3.	* s-enti	* s-ind	sind	sint	sie sind
Opt.Präs. Sg. 1.	* s-i̯ē-m	* s-i(i̯)ē-	[sijau]	—	—
2.	* s-i̯ē-s	* s-i(i̯)ē-s	sijais	—	—
	usw.	usw.	usw.		
oder					
Sg. 1.	* s-ī-m	* s-ī-	—	sī	ich sei
2.	* s-ī-s	* s-ī-s	—	sīn(t)	du seist
	usw.	usw.		usw.	usw.

Vergleichbar sind lat. es-t , s-unt ; siēm, siēs usw. / sīm, sīs usw.

-- idg. Wurzel *bheu̯H- (Schwundstufe *bhū-) hierher gehören u.a. die neuenglischen Formen

to be ; that I be usw. ; been

Vergleichbar sind lat. fū-ī usw.

Auf Kontaminationen von *bhū- und *es-Formen beruhen die deutschen Formen

ich b-in , du b-ist .

-- idg. Wurzel *or- ; hierher gehören u.a. die neuenglischen Formen

thou art (mit dem -t der 2.Sg. der Präteritopräsentien) ; we are , you are , they are

Vergleichbar ist lat. or-ī-rī "werden" .

Die Formen des Präteritums werden suppletiv von einem Starken Verbum der V. Klasse gebildet:

got.	wisan	--	Prät.:	was / wēsum
ae.	wesan	--	Prät.:	wæs / wǣron
ne.	--	--	Prät.:	I was / we were
ahd.	uuesan	--	Prät.:	uuas / uuārum
nhd.	--	--	Prät.:	(ich war) / wir waren

(2) Die Verben " t u n , g e h e n , s t e h e n " sind nur in den westgermanischen Sprachen belegt; das Verbum "stehen" ist dabei sogar ausschließlich deutsch. Da es sich bei diesen Verben um athematische Präsentien von Aoristformen der idg. Wurzeln

*dhē- / *dhō-
*ghē-
*stā-

handelt, werden sie gelegentlich auch als A o r i s t p r ä s e n t i e n bezeichnet.

Das Verbum "tun" hat als einziges der Aoristpräsentien ein Präteritum, und zwar ein reduplizierendes Präteritum mit ursprünglich langem Vokal der Reduplikationssilbe in den Pluralformen des Ind.Prät. und im Opt.Prät.:

Ind.Präs. Sg. 1.	idg. *dhō-mi	= ahd. tuo-m	nhd. [ich tue]	ne. I do usw.
2.	*dhō-si	tuo-s(t)	du tust	
3.	*dhō-ti	tuo-t	er tut	
Pl. 3.	*dhō-nti	tuo-nt	sie tun	
Ind.Prät. Sg. 1.	*dhe-dhō-m	te-ta	[ich tat]	ne. I did usw.
2.	*dhē-dh(H)-e-s	tā-t-i	[du tatest]	
3.	*dhe-dhē-t	te-ta	[er tat]	
Pl. 3.	*dhē-dh(H)-n̥t	tā-t-un	sie taten	
Part.Prät.	*dhē-nó-s	(gi)tā-n	(ge)tan	ne. done

Die Verben "gehen" und "stehen" bilden dagegen nur Präsensformen. Wurzelvokal bei "gehen" ist dabei zunächst ahd. /-ā-/ (aus idg. */-ē-/) im Ind.Präs., ahd. /-ē-/ (aus idg. */-ē-ī-/) im Opt.Präs., doch dringen bereits sehr früh Formen mit /-ē-/ auch in den Ind.Präs. ein und verdrängen dort die alten /-a-/-Formen. Bei "stehen" wäre als Wurzelvokal ahd. */-uo-/ (aus germ. */-ō-/ für idg. /-ā-/) zu erwarten. Doch hat sich dieses Verbum in seinem Vokalismus ganz an "gehen" angeschlossen:

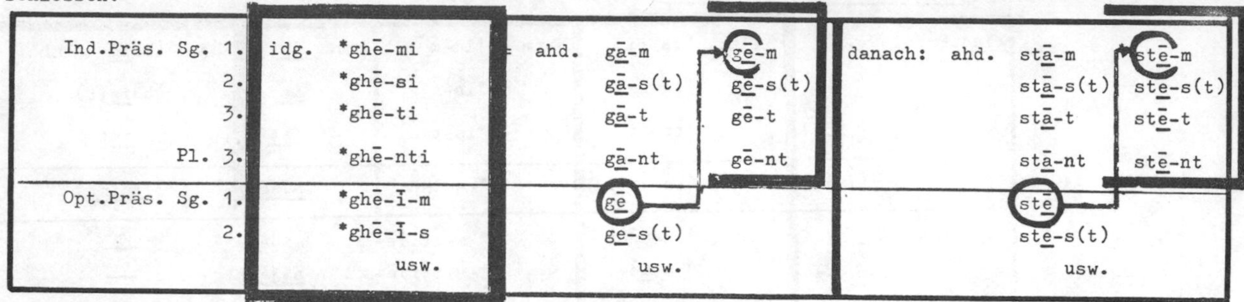

Ind.Präs. Sg. 1.	idg. *ghē-mi	= ahd. gā-m	gē-m	danach: ahd. stā-m	stē-m
2.	*ghē-si	gā-s(t)	gē-s(t)	stā-s(t)	stē-s(t)
3.	*ghē-ti	gā-t	gē-t	stā-t	stē-t
Pl. 3.	*ghē-nti	gā-nt	gē-nt	stā-nt	stē-nt
Opt.Präs. Sg. 1.	*ghē-ī-m	gē		stē	
2.	*ghē-ī-s	gē-s(t)		stē-s(t)	
	usw.	usw.		usw.	

Die neuhochdeutschen thematischen Präsentien "geh-e-n,, steh-e-n" lassen sich als Analogiebildungen erklären:

cf. mhd. sē-n als Kontraktionsform für seh-e-n ;
danach "falsche Auflösung":
mhd. gē-n → geh-e-n
stē-n → steh-e-n

Ihre fehlenden Präteritalformen ergänzen die Verben "gehen" und "stehen" durch Suppletivformen, und zwar durch Formen der wurzelverwandten (!) Verben

ahd.	gangan	(Klasse VII)	-- Prät. gieng	-- Part.Prät.	(gi)gangan
nhd.			ich ging		(ge)gangen
und					
ahd.	stantan	(Klasse VI)	-- Prät. stuont	-- Part.Prät.	(gi)stantan
nhd.			(altertüml.: ich stund)		(ge)standen

Die Starken Präsensformen ahd. gangan , standan / mhd. gangen , standen sind im Neuhochdeutschen verlorengegangen (aber vergl. schwäbisch: gaŋə , štandə !) ; das Präteritum ich stund wurde aufgrund von Systemausgleich durch ich stand (nach Partizip gestanden) ersetzt. Daher schließlich

nhd. gehen - ich ging - gegangen
stehen - ich stand - gestanden .

(3) Der Ind.Präs. des Verbums "w o l l e n" war ursprünglich ein athematischer Optativ zur idg. Wurzel *u̯el- ;

cf. etwa noch Ind.Präs. S. 2. got. wil-ei-s = ahd. uuil-i aus idg. *u̯el-ī-s
3. got. wil-i = ahd. uuil-i *u̯el-ī-t .

Vergleichbar sind lat. vel-ī-m , vel-ī-s , vel-ī-t usw.

In den westgermanischen Sprachen haben sich athematische Formen freilich nur noch im Singular des Ind. Präs. erhalten; die anderen Formen werden hier von einem Schwachen Verbum

germ. *u̯el-i̯-a-na = wg. *u̯ill-i̯-a-n in ae. willan , ne. will
bzw.
germ. *u̯al-i̯-a-na = wg. *u̯all-i̯-a-n in. ahd. uuellen , nhd. wollen

gebildet. Die athematischen Singularformen wurden teilweise nach dem Muster der Präteritopräsentien umgeformt. Daher

ne. I will , thou wilt , he will wie I shall , thou shalt , he shall
nhd. ich will , du willst , er will wie ich soll , du sollst , er soll .

GÖPPINGER ARBEITEN ZUR GERMANISTIK

herausgegeben von

ULRICH MÜLLER, FRANZ HUNDSNURSCHER und CORNELIUS SOMMER

GAG 1: **U. Müller**, „Dichtung" und „Wahrheit" in den Liedern Oswalds von Wolkenstein: Die autobiographischen Lieder von den Reisen. (1968)

GAG 2: **F. Hundsnurscher**, Das System der Partikelverben mit „aus" in der Gegenwartssprache. (1968)

GAG 3: **J. Möckelmann**, Deutsch-Schwedische Sprachbeziehungen. Untersuchung der Vorlagen der schwedischen Bibelübersetzung von 1536 und des Lehngutes in den Übersetzungen aus dem Deutschen. (1968)

GAG 4: **E. Menz**, Die Schrift Karl Philipp Moritzens „Über die bildende Nachahmung des Schönen". (1968)

GAG 5: **H. Engelhardt**, Realisiertes und Nicht-Realisiertes im System des deutschen Verbs. Das syntaktische Verhalten des zweiten Partizips. (1969)

GAG 6: **A. Kathan**, Herders Literaturkritik. Untersuchungen zu Methodik und Struktur am Beispiel der frühen Werke. (2. Aufl. 1970)

GAG 7: **A. Weise**, Untersuchungen zur Thematik und Struktur der Dramen von Max Frisch. (3. Aufl. 1972)

GAG 8: **H.-J. Schröpfer**, „Heinrich und Kunigunde". Untersuchungen zur Verslegende des Ebernand von Erfurt und zur Geschichte ihres Stoffs. (1969)

GAG 9: **R. Schmitt**, Das Gefüge des Unausweichlichen in Hans Henny Jahnns Romantrilogie „Fluß ohne Ufer". (1969)

GAG 10: **W. E. Spengler**, Johann Fischart, genannt Mentzer. Studie zur Sprache und Literatur des ausgehenden 16. Jahrhunderts. (1969)

GAG 11: **G. Graf**, Studien zur Funktion des ersten Kapitels von Robert Musils Roman „Der Mann ohne Eigenschaften". Ein Beitrag zur Unwahrhaftigkeitstypik der Gestalten. (1969)

GAG 12: **G. Fritz**, Sprache und Überlieferung der Neidhart-Lieder in der Berliner Handschrift germ. fol. 779 (c). (1969)

GAG 13: **L.-W. Wolff**, Wiedereroberte Außenwelt. Studien zur Erzählweise Heimito von Doderers am Beispiel des „Romans No 7". (1969)

GAG 14: **W. Freese**, Mystischer Moment und reflektierte Dauer. Zur epischen Funktion der Liebe im modernen deutschen Roman. (1969)

GAG 15: **U. Späth**, Gebrochene Identität. Stilistische Untersuchungen zum Parallelismus in E. T. A. Hoffmanns ‚Lebensansichten des Kater Murr'. (1970)

GAG 16: **U. Reiter**, Jakob van Hoddis. Leben und lyrisches Werk. (1970)

GAG 17: **W. E. Spengler**, Der Begriff des Schönen bei Winckelmann. Ein Beitrag zur deutschen Klassik. (1970)

GAG 18: **F. K. R. v. Stockert**, Zur Anatomie des Realismus: Ferdinand von Saars Entwicklung als Novellendichter. (1970)

GAG 19: **St. R. Miller**, Die Figur des Erzählers in Wielands Romanen. (1970)

GAG 20: **A. Holtorf**, Neujahrswünsche im Liebeslied des ausgehenden Mittelalters. Zugleich ein Beitrag zum mittelalterlichen Neujahrsbrauchtum in Deutschland. (1973)

GAG 21: **K. Hotz**, Bedeutung und Funktion des Raumes im Werk Wilhelm Raabes. (1970)

GAG 22/23: **R. B. Schäfer-Maulbetsch**, Studien zur Entwicklung des mittelhochdeutschen Epor. Die Kampfschilderungen in „Kaiserchronik", „Rolandslied", „Alexanderlied", „Eneide", „Liet von Troye" und „Willehalm". (2 Bde. 1972)

GAG 24: **H. Müller-Solger**, Der Dichtertraum. Studien zur Entwicklung der dichterischen Phantasie im Werk Christoph Martin Wielands. (1970)

GAG 25: Formen mittelalterlicher Literatur. **Siegfried Beyschlag** zu seinem 65. Geburtstag von Kollegen, Freunden und Schülern. Herausgegeben von **O. Werner** und **B. Naumann.** (1970)

GAG 26: **J. Möckelmann / S. Zander**, Form und Funktion der Werbeslogans. Untersuchung der Sprache und werbepsychologischen Methoden der Slogans. (1970) (2. Aufl. 1972)

GAG 27: **W.-D. Kühnel**, Ferdinand Kürnberger als Literaturtheoretiker im Zeitalter des Realismus. (1970)

GAG 28: **O. Olzien**, Wirken. Aktionsform und Verbalmetapher bei Goethe. (1971)

GAG 29: **H. Schlemmer**, Semantische Untersuchungen zur verbalen Lexik. Verbale Einheiten und Konstruktionen für den Vorgang des Kartoffelerntens. (1971)

GAG 30: **L. Mygdales**, F. W. Waiblingers „Phaethon". Entstehungsgeschichte und Erläuterungen. (1971)

GAG 31: **L. Peiffer**, Zur Funktion der Exkurse im „Tristan" Gottfrieds von Straßburg. (1971)

GAG 32: **S. Mannesmann**, Thomas Manns Roman-Tetralogie „Joseph und seine Brüder" als Geschichtsdichtung. (1971)

GAG 33: **B. Wackernagel-Jolles**, Untersuchungen zur gesprochenen Sprache. Beobachtungen zur Verknüpfung spontanen Sprechens. (1971)

GAG 34: **G. Dittrich-Orlovius**, Zum Verhältnis von Erzählung und Reflexion im „Reinfried von Braunschweig". (1971)

GAG 35: **H.-P. Kramer**, Erzählerbemerkungen und Erzählerkommentar in Chrestiens und Hartmanns „Erec" und „Iwein". (1971)

GAG 36: **H.-G. Dewitz**, „Dante Deutsch". Studien zu Rudolf Borchardts Übertragung der ‚Divina Comedia'. (1971)

GAG 37: **P. Haberland**, The Development of Comic Theory in Germany during the Eighteenth Century. (1971)

GAG 38/39: **E. Dvoretzky**, G. E. Lessing. Dokumente zur Wirkungsgeschichte (1755 bis 1968). (2 Bde. 1971/72)

GAG 40/41: **G. F. Jones / H. D. Mück / U. Müller**, Vollständige Verskonkordanz zu den Liedern Oswald von Wolkenstein. (Hss. B und A) (2 Bde. 1973)

GAG 42: **R. Pelka**, Werkstückbenennungen in der Metallverarbeitung. Beobachtungen zum Wortschatz und zur Wortbildung der technischen Sprache im Bereich der metallverarbeitenden Fertigungstechnik. (1971)

GAG 43: **L. Schädle**, Der frühe deutsche Blankvers unter besonderer Berücksichtigung seiner Verwendung durch Chr. M. Wieland.

GAG 44: **U. Wirtz**, Die Sprachstruktur Gottfried Benns. Ein Vergleich mit Nietzsche. (1971)

GAG 45: **E. Knobloch**, Die Wortwahl in der archaisierenden chronikalischen Erzählung: Meinhold, Raabe, Storm, Wille, Kolbenheyer. (1971)

GAG 46: **U. Peters**, Frauendienst. Untersuchungen zu Ulrich von Lichtenstein und zum Wirklichkeitsgehalt der Minnedichtung. (1971)

GAG 47: **M. Endres**, Word Field and Word Content in Middle High German. The Applicability of Word Field Theory to the Intellectual Vocabulary in Gottfried von Strassburg's „Tristan". (1971)

GAG 48: **G. M. Schäfer**, Untersuchungen zur deutschsprachigen Marienlyrik des 12. und 13. Jahrhunderts. (1971)

GAG 49: **F. Frosch-Freiburg**, Schwankmären und Fabliaux. Ein Stoff- und Motivvergleich. (1971)

GAG 50/51: **G. Steinberg**, Erlebte Rede. Ihre Eigenart und ihre Formen in neuerer deutscher, französischer und englischer Erzählliteratur. (1971)

GAG 52: **O. Boeck**, Heines Nachwirkung und Heine-Parallelen in der französischen Dichtung. (1971)

GAG 53: **F. Dietrich-Bader**, Wandlungen der dramatischen Bauform vom 16. Jahrhundert bis zur Frühaufklärung. Untersuchungen zur Lehrhaftigkeit des Theaters. (1972)

GAG 54: **H. Hoefer**, Typologie im Mittelalter. Zur Übertragbarkeit typologischer Interpretation auf weltliche Dichtung. (1971)

GAG 55/56: **U. Müller**, Untersuchungen zur politischen Lyrik des deutschen Mittelalters. (1974)

GAG 57: **R. Jahović**, Wilhelm Gerhard aus Weimar, ein Zeitgenosse Goethes. (1972)

GAG 58: **B. Murdoch**, The Fall of Man in the Early Middle High German Biblical Epic: the „Wiener Genesis", the „Vorauer Genesis" and the „Anegenge". (1972)

GAG 59: **H. Hecker**, Die deutsche Sprachlandschaft in den Kantonen Malmedy und St. Vith. Untersuchungen zur Lautgeschichte und Lautstruktur ostbelgischer Mundarten. (1972)

GAG 60: Wahrheit und Sprache. Festschrift für **Bert Nagel** zum 65. Geburtstag am 27. August 1972. Unter Mitwirkung v. K. Menges hsg. von W. Pelters und P. Schimmelpfennig. (1972)

GAG 61: **J. Schröder**, Zu Darstellung und Funktion der Schauplätze in den Artusromanen Hartmanns von Aue. (1972)

GAG 62: **D. Walch**, Caritas. Zur Rezeption des ‚mandatum novum' in altdeutschen Texten. (1973)

GAG 63: **H. Mundschau**, Sprecher als Träger der ‚tradition vivante' in der Gattung ‚Märe'. (1972)

GAG 64: **D. Strauss**, Redegattungen und Redearten im „Rolandslied" sowie in der „Chanson de Roland" und in Strickers „Karl". (1972)

GAG 65: ‚Getempert und gemischet' für **Wolfgang Mohr** zum 65. Geburtstag von seinen Tübinger Schülern. Hsg. von F. Hundsnurscher und U. Müller. (1972)

GAG 66: **H. Fröschle**, Justinus Kerner und Ludwig Uhland. Geschichte einer Dichterfreundschaft. (1973)

GAG 67: **U. Zimmer**, Studien zu ‚Alpharts Tod' nebst einem verbesserten Abdruck der Handschrift. (1972)

GAG 68: **U. Müller** (Hsg.), Politische Lyrik des deutschen Mittelalters. Texte I. (1972)

GAG 69: **Y. Pazarkaya**, Die Dramaturgie des Einakters. Der Einakter als eine besondere Erscheinungsform im deutschen Drama des 18. Jahrhunderts. (1973)

GAG 70: Festschrift für **Kurt Herbert Halbach**. Hsg. von R. B. Schäfer-Maulbetsch, M. G. Scholz und G. Schweikle. (1972)

GAG 71: **G. Mahal**, Mephistos Metamorphosen. Fausts Partner als Repräsentant literarischer Teufelsgestaltung. (1972)

GAG 72: **A. Kappeler**, Ein Fall der „Pseudologia phantastica" in der deutschen Literatur: Fritz Reck-Malleczewen.

GAG 73: **J. Rabe**, Die Sprache der Berliner Nibelungenlied-Handschrift J (Ms. germ. Fol. 474). (1972)

GAG 74: **A. Goetze**, Pression und Deformation. Zehn Thesen zum Roman „Hundejahre" von Günter Graß. (1972)

GAG 75: **K. Radwan**, Die Sprache Lavaters im Spiegel der Geistesgeschichte. (1972)

GAG 76: **H. Eilers**, Untersuchungen zum frühmittelhochdeutschen Sprachstil am Beispiel der Kaiserchronik. (1972)

GAG 77: **P. Schwarz**, Die neue Eva. Der Sündenfall in Volksglauben und Volkserzählung. (1973)

GAG 78: **G. Trendelenburg**, Studien zum Gralraum im „Jüngeren Titurel". (1973)

GAG 79: **J. Gorman**, The Reception of Federico Garcia Lorca in Germany. (1973)

GAG 80: **M. A. Coppola**, Il rimario dei bîspel spirituali dello Stricker.

GAG 81: **P. Neesen**, Vom Louvrezirkel zum Prozeß. Franz Kafka unter dem Eindruck der Psychologie Franz Brentanos. (1972)

GAG 82: **U. H. Gerlach**, Hebbel as a Critic of His Own Works: „Judith", „Herodes und Mariamne" and „Gyges und sein Ring". (1972)

GAG 83: **P. Sandrock**, The Art of Ludwig Thoma.

GAG 84: **U. Müller** (Hsg.), Politische Lyrik des deutschen Mittelalters. Texte II: Von 1350 bis 1466.

GAG 85: **M. Wacker**, Schillers „Räuber" und der Sturm und Drang. Stilkritische und typologische Überprüfung eines Epochenbegriffes. (1973)

GAG 86: **L. Reichardt**, Die Siedlungsnamen der Kreise Giessen, Alsfeld und Lauterbach in Hessen. Namenbuch. (1973)

GAG 87: **S. Gierlich**, Jean Paul: „Der Komet oder Nikolaus Marggraf. Eine komische Geschichte." (1972)

GAG 88: **B. D. Haage** (Hsg.), Das Arzneibuch des Erhart Hesel. (1973)

GAG 89: R. Roßkopf, Der Traum Herzeloydes und der Rote Ritter. Erwägungen über die Bedeutung des staufisch-welfischen Thronstreites für Wolframs „Parzival". (1972)

GAG 90: B. Webb, The Demise of the „New Man": An Analysis of Late German Expressionism. (1973)

GAG 91: I. Karger, Heinrich Heine. Literarische Aufklärung und wirkbetonte Textstruktur. Untersuchungen zum Tierbild.

GAG 92: B. S. Wackernagel-Jolles (Hsg.), Aspekte der gesprochenen Sprache. Deskriptions- und Quantifizierungsprobleme. Eingeleitet von **S. Grosse.**

GAG 93: A. Harding, An Investigation into the Use and Meaning of Medieval German Dancing Terms. (1973)

GAG 94: D. Rosenband, Das Liebesmotiv in Gottfrieds „Tristan" und Wagners „Tristan und Isolde". (1973)

GAG 95: H.-F. Reske, Jerusalem Caelestis. Bildformeln und Gestaltungsmuster. Darbietungsformen eines christlichen Zentralgedankens in der deutschen geistlichen Dichtung des 11. u. 12. Jhds. Mit besonderer Berücksichtigung des „Himmlischen Jerusalem" und der „Hochzeit" (V. 379–508). (1973)

GAG 96: D. Ohlenroth, Sprechsituation und Sprecheridentität. Untersuchungen zum Verhältnis von Sprache und Realität im frühen deutschen Minnesang.

GAG 97: U. Gerdes, Bruder Wernher. Beiträge zur Deutung seiner Sprüche. (1973)

GAG 98: N. Heinze, Zur Gliederungstechnik Hartmanns von Aue. Stilistische Untersuchungen als Beiträge zu einer strukturkritischen Methode. (1973)

GAG 99: E. Uthleb, Zeilen und Strophen in der Jenaer Liederhandschrift.

GAG 100: Wolfram von Eschenbach. Willehalm, Übersetzt von O. Unger. Mit einem Geleitwort von Ch. Gerhardt.

GAG 101: H. Kalmbach, Bildung und Dramenform in Goethes „Faust".

GAG 102: B. Thole, Die „Gesänge" in den Stücken Berthold Brechts. Zur Geschichte und Ästhetik des Liedes im Drama. (1973)

GAG 103: J.-H. Dreger, Wielands „Geschichte der Abderiten". Eine historisch-kritische Untersuchung. (1973)

GAG 104: B. Haustein, Achim von Arnims dichterische Auseinandersetzung mit dem romantischen Idealismus.

GAG 105: F. B. Parkes, Epische Elemente in Jakob Michael Reinhold Lenzens Drama „Der Hofmeister". (1973)

GAG 106: K. O. Seidel, ‚Wandel' als Welterfahrung des Spätmittelalters im didaktischen Werk Heinrichs des Teichners. (1973)

GAG 107: I–V DIE KLEINDICHTUNG DES STRICKERS. In Zusammenarbeit mit G. Agler und R. E. Lewis hsg. von W. W. Moelleken

GAG 108: G. Datz, Die Gestalt Hiobs in der kirchlichen Exegese und der „Arme Heinrich" Hartmanns von Aue. (1973)

GAG 109: J. Scheibe, Der „Patriot" (1724–1726) und sein Publikum. Untersuchungen über die Verfassergesellschaft und die Leserschaft einer Zeitschrift der frühen Aufklärung. (1973)

GAG 110: E. Wenzel-Herrmann, Zur Textkritik und Überlieferungsgeschichte einiger Sommerlieder Neidharts. (1973)

GAG 111: K. Franz, Studien zur Soziologie des Spruchdichters in Deutschland im späten 13. Jahrhundert. (1974)

GAG 112: P. Jentzmik, Zu Möglichkeiten und Grenzen typologischer Exegese in mittelalterlicher Predigt und Dichtung. (1973)

GAG 113: G. Inacker, Antinomische Strukturen im Werk Hugo von Hofmannsthals. (1973)

GAG 114: R. S. Geehr, Adam Müller-Gutenbrunn and the Aryan Theater of Vienna 1898–1903. The Approach of Cultural Fascism. (1973)

GAG 115: R. M. Runge, Proto-Germanic /r/. (1973)

GAG 116: L. Schuldes, Die Teufelsszenen im deutschen geistlichen Drama. (1974)

GAG 117: Christa Krüger, Georg Forsters und Friedrich Schlegels Beurteilung der Französischen Revolution als Ausdruck des Problems einer Einheit von Theorie und Praxis.

GAG 118: G. Vogt, Studien zur Verseingangsgestaltung in der deutschen Lyrik des Hochmittelalters. (1974)

GAG 119: B. C. Bushey, „Tristan als Mönch". Untersuchungen und kritische Edition. (1974)

GAG 120: St. C. Haroff, Wolfram: And His Audience: A Study of the Theme of Quest and of Recognition of Kinship Identity. (1974)

GAG 121: S. Schumm, Einsicht und Darstellung. Untersuchung zum Kunstverständnis E. T. A. Hoffmanns. (1974)

GAG 122: O. Holzapfel, Die Dänischen Nibelungenballaden. Texte und Kommentare. (1974)

GAG 123: Rosemarie Hellge, geb. Keller, Motive und Motivstrukturen bei Ludwig Tieck. (1974)

GAG 124/125: Hans-Friedrich Rosenfeld, Ausgewählte Schriften. **Festschrift** herausgegeben von **Hugo Kuhn, Hellmut Rosenfeld, Hans-Jürgen Schubert.** (1974)

GAG 126: Beatrice Wehrli, Imitatio und Mimesis in der Geschichte der deutschen Erzähltheorie unter besonderer Berücksichtigung des 19. Jahrhunderts.

GAG 127: Jürgen Vorderstemann, Die Fremdwörter im „Willehalm" Wolframs von Eschenbach. (1974)

GAG 128: Eckhardt Meyer-Krentler, Der andere Roman. Gellerts „Schwedische Gräfin". (1974)

GAG 129: Roy F. Allen, Literary Life in German Expressionism and the Berlin Circles. (1974)

GAG 130: Hella Kloocke, Der Gebrauch des substantivierten Infinitivs im Mittelhochdeutschen. (1974)

GAG 131: Udo von der Burg, Strickers „Karl der Große" als Bearbeitung des „Rolandsliedes". Studien zu Form und Inhalt. (1974)

GAG 132: Rodney Winstone Fisher, Studies in the Demonic in Selected Middle High German Epics.

GAG 133: Gisela Zimmernann, Kommentar zum VII. Buch von Wolfram von Eschenbachs „Parzival". (1974)

GAG 134: Eberhard Ockel, Rhetorik im Deutschunterricht. Untersuchungen zur didaktischen und methodischen Entwicklung mündlicher Kommunikation. (1974)

GAG 135: Dietmar Wenzelburger, Motivation und Menschenbild der Eneide Heinrichs von Veldeke als Ausdruck der geschichtlichen Kräfte ihrer Zeit. (1974)

GAG 136: R. Dietz, Der „Tristan" Gottfrieds von Straßburg. Probleme der Forschung 1902–1970. (1974)

GAG 137: F. Heinzle, „Der Württemberger". Untersuchung, Texte, Kommentar. (1974)

GAG 138: H. Rowland, Musarion and Wieland's Concept of Genre.

GAG 139: D. Hirschberg, Untersuchungen zur Erzählstruktur von Wolframs „Parzival".

GAG 140: G. Mauch, Theatermetapher und -motiv bei Jean Paul.

GAG 141: G. Holbeche, Optical Motifs in the Works of E. T. A. Hoffmann.

GAG 142: W. Baur, Sprache und Existenz. Studien zum Spätwerk Robert Walsers. (1974)